MEMORIA de la HISTORIA

Personajes

Memoria de la Historia pretende
ofrecer a los lectores la Historia contada por
quienes la hicieron, por los mismos *personajes* que
en vez de figurar en las páginas de los libros como
objeto pasivo, adquieren voz y nos cuentan su vida
y su peripecia en primera persona. La Historia
como una novela personal, autobiográfica, en la
que todo lo que aparece en estas páginas es
verdad, con hechos ciertos y comprobados, pero
que se presentan con la inmediatez y el
dramatismo que da al relato la voz del
protagonista, supuesto historiador de sí mismo
gracias a la pluma de unos escritores que
consiguen el difícil y apasionante equilibrio entre
los materiales de la crónica, tratados con el
máximo respeto, y el enfoque que corresponde a la
más amena de las narraciones novelescas. Otra
vertiente de estas semblanzas es la evocación de
episodios del pasado en tercera persona con todo
el rigor que exige el trabajo del historiador y la
amenidad de la novela.

Éste es el objetivo de una colección que
aspira a fundir lo más atractivo que pueden
ofrecer la historia y la literatura.

Los piratas
del Nuevo Mundo

Rafael Abella

Los piratas del Nuevo Mundo

Planeta

COLECCIÓN MEMORIA DE LA HISTORIA/23
Dirección: Rafael Borràs Betriu
Consejo de Redacción: María Teresa Arbó, Antonio Padilla,
   Marcel Plans y Carlos Pujol

© Rafael Abella, 1989
© Editorial Planeta, S. A., 1992
   Córcega, 273-279, 08008 Barcelona (España)
Ilustración al cuidado de Antonio Padilla
Diseño colección y cubierta de Hans Romberg
   (realización de Francesc Sala)
Ilustraciones cubierta: retrato de Francis
   Drake y «Combate naval», pintura de
   Cortellini, Museo Naval, Madrid (fotos
   AISA)

Procedencia de las ilustraciones: Archivo
   Editorial Planeta

Primera edición: abril de 1989
Segunda edición: junio de 1989
Tercera edición: febrero de 1992
Cuarta edición: setiembre de 1992
Depósito Legal: B. 32.581-1992
ISBN 84-320-4511-X
Papel: Offset Munken Book, de Munkedals AB
Impresión: Duplex, S. A., Ciudad de
   Asunción, 26, int., letra D, 08030 Barcelona
Encuadernación: Encuadernaciones Maro, S. A.
Printed in Spain - Impreso en España

Índice

9 Capítulo I/La alborada de un Nuevo Mundo

25 Capítulo II/Hawkins, proveedor del mercado negro

39 Capítulo III/Las empresas de Drake, animal de presa

53 Capítulo IV/A Raleigh, el mito de El Dorado le hizo perder la cabeza

68 Capítulo V/La hora de los bucaneros. Maldades del *Olonés* y los Hermanos de la Costa

83 Capítulo VI/Los bandidos empiezan a distinguirse por la bandera negra

96 Capítulo VII/El sádico Morgan, alacrán del Caribe

113 Capítulo VIII/Vida, andanzas y desventuras del capitán Sharp

129 Capítulo IX/Nueva Inglaterra abre nuevos horizontes a la piratería

145 Capítulo X/«Más vale ser capitán de piratas que un simple hombre vulgar» (Roberts)

159 Capítulo XI/Misson o de cómo los buenos fines pueden escoger los peores medios

177 Capítulo XII/Y en el ocaso brilló Lafitte, primer pirata moderno

195 Fuentes bibliográficas

197 Índice onomástico

Capítulo primero

LA ALBORADA DE UN NUEVO MUNDO

En los comienzos del siglo XVI, el Occidente cristiano estaba ante el fenómeno más grandioso que al género humano le fuera dable sobrevenir: el descubrimiento de un Nuevo Mundo, más allá de las interminables aguas del gran océano. La ampliación de la buena nueva del Descubrimiento era expectativa esperada de los exploradores de las tierras vírgenes. La «noticia indiana» era información ansiada que se ofrecía en cartas, relaciones, memorias que llegaban a las cortes, a las cancillerías. En ellas se contaba de indígenas emplumados que fumaban hojas secas y aspiraban el humo; de animales desconocidos como el manatí, la jicotea o la iguana; de plantas insólitas como el mirobálano o el mahate; de frutos pulposos como el mameyo o la guayaba, de pájaros desconocidos como el papagayo o el quetzal. Y como suele ocurrir ante lo nuevo y maravilloso, a la realidad se unía la fantasía. Se hablaba de cíclopes y de amazonas, como si los seres mitológicos de la Antigüedad hubieran sido, al fin, descubiertos en las tierras oceánicas. Ciñéndonos a los testimonios de los primeros cronistas, reporteros del Nuevo Mundo —el jerónimo Román Pané, Pedro Mártir de Anglería o Fernández de Oviedo—, los nombres de Guanahaní, de Cubanacán, de Borinquén o de Haití, eran nombres de tierras llenas de vegetación, pobladas por tribus —los caribes, los arawak, los ciguayos o los ciboneys— formadas por indios y por indias —así se bautizaron a los que se descubrió por equivocación, buscando una nueva ruta a Oriente por Occidente— en quienes sorprendía su desnudez, sobre todo en ellas, desnudez llena de encanto y de naturalidad, sin arrebolarse ante las miradas de unos hombres de mar que pisaban tierra firme tras de meses de navegación. «Su cuerpo —comentaba Américo Vespucio— es precioso, elegante y bien proporcionado, sin que necesiten esconder sus vergüenzas.» En los relatos de unos y de otros aparecería un nuevo vocabulario que quedaría trasplantado a nuestra lengua. Era el que aludía a bohíos, hamacas, canoas, que definían objetos propios de su civilización, algunos de cumplida apropiación por los conquistadores.

En el origen, como es sabido, estuvo la búsqueda de las especias indianas y, a remolque, la misión, la conversión de unos infieles sin temor de Dios Padre, para hacer de ellos buenos cristianos. Y también estaba el oro, el metal magnífico que los indios caribeños lucían sin mayor aprecio, orlando sus orejas junto a vulgares abalorios y colgantes de hueso. Misión espiritual, ansias de conquista, avidez aurífera —en las cartas de Colón ya se percibe una obsesión por el hallazgo de yacimientos en las islas recién descubiertas—, tales fueron las motivaciones que empujaron a unos esforzados, apenas salidos de su asombro ante la tropicalidad de unas islas hechas para la molicie. Y oro habíalo, tanto fue así que, entre 1492 y 1519, veinte toneladas del rico metal se embarcaron para la metrópoli. Pero además del oro estaban la pedrería, las perlas de la ostrería del Darién, a sotavento de las ínsulas recorridas por el Gran Almirante en sus primeros viajes.

Con aquellos tres ingredientes —conquista, botín y misión— la historia que estaba en trance de escribirse sobre las islas del mar Caribe tendría que estar hecha de contrastes porque el afán de conquista implicaba la sumisión de los pobladores, la busca de la dorada riqueza, el expolio de los territorios y quedaba la parte espiritual que ponía una nota ultraterrena entre aquella tropa de aventureros audaces, valerosos, ambiciosos y crueles que fueron los conquistadores, con lo cual queda dicho que las disputas y las pendencias entre los propios españoles en lucha por el poder fueron moneda corriente en la alborada del Descubrimiento. Se enfrentaron Cortés y Narváez, Vasco Núñez de Balboa y Pedro Arias Dávila, Pizarro y Almagro. Y a alguno le rodó la cabeza en el pleito.

«Anárquicos y monárquicos —define Madariaga—, díscolos y disciplinados, perdidos en un mundo nuevo, virgen a toda ley, y empapados de un mundo antiguo cuya esencia misma era la ley», tal era, según el historiador, la condición de los hispánicos que ocuparon aquellas primeras posesiones que se apresuraron a bautizar, alardeando de un derroche de lealtades a su Dios y a sus reyes con los nombres de San Salvador, San Juan Bautista de Puerto Rico, Santa María de la Antigua, Nuestra Señora de la Asunción de Panamá, La Isabela, La Fernandina, La Española... El ancho mar era acceso a unos territorios cuya vastedad empezó a tentar a desheredados, penitenciados, mozos, pícaros, que de todo hubo entre los que andaban a vueltas con la miseria en el solar patrio y vieron en las Indias camino para conquistar fama y dinero. El territorio también era ancho, porque el Papa Alejandro VI había otorgado bula a lusitanos y españoles, en gracia a su cristiandad, para repartirse el Nuevo Mundo dándole a la conquista el carácter de misión ecuménica. Y Castilla y Portugal rubricaban en 1494 y en Tordesillas, la concesión del Sumo Pontífice, situando en un meridiano a trescientas setenta leguas de Cabo Verde, la divisoria entre los futuros imperios ultramarinos, bajo el supremo Imperio de la Fe Cristiana. Con lo cual no iba a haber disputa entre los hermanos ibéricos, pero sí iba a haber recelo en otras cortes cristianas, y envidia en una que, algún tiempo después, iba a romper sus lazos con Roma y desvincularse de la autoridad papal.

La historia occidental de las disputas humanas por el dominio del mar y de sus rutas, que hasta el siglo XVI había tenido como escenario las aguas mediterráneas, las hanseáticas y las ribereñas del canal de la Mancha, tendría un nuevo centro de gravedad sobre el que converger las ambiciones y la violencia de los hombres y de los Estados. Ese centro de gravedad era el mar Caribe, camino de las Indias.

A aquellas tierras, tras los adelantados, con atabales y trompetas, empezaron a arribar funcionarios, letrados, artesanos y hombres de presa. Y también frailes y clérigos dispuestos a evangelizar a aquellos paganos, imbuidos de un culto a los cuerpos celestes que lo mismo podían ser caníbales y depredadores, hábiles en el manejo de la flecha y de la azagaya, que acogedores y hospitalarios con una liberalidad tal, que ofrecían sus mujeres e hijas a los visitantes que llegaban de más allá del mar, dispuestos a cambiar oro por baratijas. «En aquel tiempo —cuenta Bernal Díaz del Castillo— vinieron de Castilla y de las islas muchos españoles pobres, de gran codicia y caninos, y hambrientos por haber riquezas y esclavos.» Pero ¿dónde estaban los esclavos? Según la doctrina profesada por la Iglesia católica ante las razas del Nuevo Mundo, «los indios eran libres por naturaleza y los españoles no tenían derecho a privarles de sus bienes».

Su condición de infieles, no obstante, tentaba a hacerles la guerra, someterlos y una vez sometidos, bautizarlos. El hecho es que, si no había esclavos, no había mano de obra y lo urgente era disponer de brazos para iniciar la extracción de las riquezas, en minas y cultivos, que atesoraban las tierras ocupadas en nombre de los reyes de España. La fórmula se obtuvo resucitando una concesión medieval: la encomienda. Según ella, los conquistadores que podían tener derecho a la propiedad de la tierra, podían, también, verse retribuidos con los servicios de un cierto número de indios a quienes estaban obligados a educar en la fe cristiana; a cambio, los nativos debían pagar su tributo a la corona, en forma de trabajo para el encomendero. Gracias a este vasallaje, envuelto en el noble propósito de la propagación de la fe, la infraestructura social de las Indias dio sus primeros pasos, disfrazándose de esta manera una esclavitud descarada que repugnaba a dominicos, franciscanos y jerónimos, máximos valedores del indio. Después, los abusos de funcionarios y encomenderos que argüían que los indios, por bárbaros e idólatras, y por enemigos de todo lo español, no merecían otro destino que la esclavitud, tendrían su mayor debelador en fray Bartolomé de las Casas.

El choque de dos culturas en tales condiciones de inferioridad iba a dar paso al nacimiento de las más oscuras leyendas. Las leyes de Burgos (1512) no pudieron poner coto a los excesos de encomiendas y repartimientos de indios que, con su trabajo forzado, estaban poniendo la primera piedra a la figura del hacendado, el primer ricachón indiano de la Historia.

Sobre estas bases se fueron creando los núcleos habitados, las primeras urbanizaciones, germen de una sociedad patrimonial fundada en la propiedad rústica de tipo colonial, es decir, agrupando amos y criados, señores y siervos, esposa o manceba porque es el caso que en los primeros años de la conquista la proporción entre hombres y mujeres era de uno de aquéllos por diez de éstas. La emigración era restringida porque no todos los hijos de nadie que querían marchar de la península en busca de fortuna, encontraban facilidades en una nobleza castellana celosa de su servidumbre. Y así, en las primeras etapas de la conquista la emigración anual no excedía de cuatrocientos a quinientos expatriados por año. Dada la proporción apuntada y el talante de las indias que, según un relator, «manifestáronse sobradamente aficionadas a nosotros», la monogamia se relajó, el concubinato se hizo uso, aparecieron los ilegítimos y con ellos el cruce del mestizo, prototipo y símbolo de un talante asimilista, digno de la cultura hispánica. Había nacido una nueva etnia, sin cuya presencia no sería posible entender la ulterior evolución de la América hispana.

Y los núcleos urbanos fueron creciendo, extendiéndose en forma de damero en torno a los pilares de la organización sociopolítica de las nuevas tierras: la Iglesia, el Ayuntamiento, la Casa de Gobierno, alineándose en el rectángulo de la plaza Mayor. A partir de La Española, como centro de irradiación, fueron naciendo las nuevas villas: La Habana; Baracoa; Puerto del Príncipe, en la isla de Cuba; Bayamo, en Puerto Rico; Santiago, en Jamaica; Santa Cruz, en el Darién... Y en ellas se aposentaba la burocracia de oidores, alcaides, tesoreros, escribanos y contadores, sin olvidar la figura del corregidor de Indias, autoridad máxima a cuyo cargo estaba la recogida de tributos cuyos contribuyentes eran los caciques y las cacicas, cabezas visibles de la comunidad tribal indiana. Y como no siempre se daba la alcabala de buen grado, es más, la rebeldía suele ser reacción ante la arbitrariedad que perseguía a los nativos imponiéndoles el repartimiento de mercancías a precios abusivos, aquella relación indio-conquistador, nacida en el Caribe, tendría sus páginas sangrientas preludio de otras muchas en la Tierra Firme, como la ejecución de la reina Anacaona, en la provincia de Xaraguá, tras de atraerla a una fiesta mayor, ejecución ordenada por el gobernador de La Española, Obando, quien, según Fernández de Oviedo, «era muy devoto y gran christiano, y muy limosnero y piadoso con los pobres»; lo cual no impidió que su escarmiento a los indios, en la persona de su propia reina, hiciera decir a un cronista: «El castigo fue tan espantable cosa, que los indios de ahí en adelante asentaron el pie llano...» Bueno será anotar que a las razas que poblaban lo que sería América del Norte, no les iban a tocar exploradores más benignos con ellas ni más piadosos con los negros.

Espada y cruz eran los atributos que blandían los conquistadores y ya en su naturaleza revelaban lo antitético de sus fines ya que la una mata y la otra bendice. Pero así se fue escribiendo la historia de unas tierras que primero fueron islas, luego archipiélago, con vislumbre de una Tierra Firme en la costa que quedaba al sur de la isla de Cozumel, lo que poco después se llamaría Nueva España con proyección virreinal.

Lo cierto es que la audacia de nautas y exploradores haría que, en treinta años, entre 1492 y 1522, se trazara la geografía del Atlántico, la del Caribe; se marcaran rutas, se perfilaran costas, radas y ensenadas y reconocieran islas. La acción de la Junta de Navegantes de Burgos, creada en 1508 y de la que formaban parte Juan de la Cosa, Américo Vespucio, Vicente Yáñez Pinzón y Juan Díaz de Solís, había dado, como resultado, la gran carta geográfica del Descubrimiento y la fundación de una escuela de pilotos sobre cuya pericia, a prueba de vientos y tempestades, iban a reposar las comunicaciones marítimas con las Indias. A aquellos navegantes iba a incumbir la responsabilidad del tráfico de unas riquezas que serían, muy pronto, tentación suprema para los aventureros de la mar.

El Caribe, en treinta años, devino cruce de todas las rutas navales que conducían a Castilla del Oro (Panamá), en busca de las perlas del istmo o del paso, rumbo a Asia, en la obstinada búsqueda de las especias del Moluco, a través del mar del Sur que en 1513 descubriera Vasco Núñez de Balboa. Pero hubo algo más: el Caribe empezó a llenar la mente de los imaginativos estimándolo, tan sólo, como una plataforma para empresas mayores. El proceso insular, en cuanto a descubrimientos, se auguraba antesala para el proceso de penetración en el gran continente austral. Y así, el Caribe sería punto de partida obligado para albergar las más inflamadas quimeras sobre la tierra firme. Cortés salió de La Habana hacia México en 1519. Pizarro partió de Panamá para conquistar el Perú en 1531. Entre 1522 y 1552 se había puesto la planta en un nuevo continente. Y ya no bastaba el señuelo de unas tierras ricas en metales nobles. La imaginación dio rienda suelta a las más fantásticas aventuras equinocciales: Ponce de León marchó del Caribe en busca de la Fuente de la Eterna Juventud y Jiménez de Quesada, en demanda de El Dorado que la leyenda pintaba como un fabuloso territorio cuajado de oro.

A los venticinco años de la gesta de Colón, las posesiones del Caribe tenían su primera Audiencia en Santo Domingo, disponían de sus Cabildos, integrados por alcaldes, hacendados y encomenderos. Las naos salían para la Madre Patria cargadas de metales, cochinilla, índigo, vainilla, cacao. Más tarde, los fletes serían de plata de México, oro de Perú y piedras preciosas de Colombia.

He aquí cómo describe Germán Arciniegas la situación de La Española (Santo Domingo) al cuarto de siglo de la aparición de los españoles:

«En medio de todas las violencias y contradanzas, a los venticinco años de llegar los españoles, la isla es otra isla. Todo, hasta el paisaje, ha cambiado. Los indios han conocido caballos, hierro, pólvora, frailes, el idioma castellano, Jesucristo, vidrio, terciopelo, cascabeles, horcas, carabelas, cerdos, gallinas, asnos, mulas, azúcar, trigo, gentes con barba, zapatos, papel, letras o como ellos creen, unas hojas blancas que hablan al oído. Los niños empiezan a hablar una lengua que antes no se había oído. Los campos, cubiertos de caña de azúcar, las minas, a trabajar. Donde antes hubo un monte, ahora se oye la algarabía de los trapiches. Otra generación, nunca ha presenciado cambios más radicales y violentos. Los caciques se sacaron colgados de la horca. Nació una ciudad de piedra. Vino un virrey. Y carpinteros y sastres y zapateros. Se oyó la campana que convida a misa. Se vio a los hidalgos corajudos doblar la rodilla, inclinar la frente en la silenciosa elevación de la hostia. La isla es para los indios un nuevo mundo. Más nuevo para ellos que para los mismos españoles. Los que sobreviven a este choque violento y a su misma perplejidad ven que su misma piel va mudando de color, y las indias, que de su sangre y de la de los recién venidos va hinchándose una vena con muchos misterios, que al fin acaba por adelgazarse en notas de ternura cuando empiezan a sollozar, en nidos de paja, los primeros mestizos.»

Para los españoles —según el mismo autor— no es menor el choque, puesto que van conociendo «el pan cazabe, maíz, chicha, tabaco, la enfermedad de las bubas, hamacas, yuca, canoas, flechas, bancos de perlas, guerras, cocodrilos, mares, bosques en donde cada árbol es distinto de los árboles de España, cada pájaro canta una nueva canción, cada alborada muestra una montaña desconocida, cada lucha una experiencia deslumbrante, más deslumbrante que el oro que antes nunca vieron y que ahora pesan en el cuenco de sus manos temblorosas».

Las nuevas tierras, en la raya del Trópico, se habían mostrado muy propicias a la introducción, iniciada en 1510, del cultivo intensivo de la caña. Pero el problema de la mano de obra era acuciante. Entre guerras y enfermedades la población aborigen decrecía a ojos vistas. Su falta de inmunidad a las enfermedades traídas por los invasores incrementaba pavorosamente la mortalidad. Si el «mal francés» era temible novedad indiana que se extendería por las cortes europeas contagiado por los viajeros, la viruela y el tabardillo hacían estragos entre las tribus. Había que resolver el problema porque, si no era así, ¿quién trabajaría en los ingenios azucareros? La idea salvadora se importó de África donde la esclavitud era uso y costumbre. Además, con los negros no se planteaba ningún problema a la conciencia cristiana, porque al decir de Solórzano Pereira, «los negros se venden por su voluntad o tienen justas guerras entre sí, en que se cautivan unos a otros». Por otra parte, al no ser súbditos de los reyes de España, sus majestades no tenían deber alguno de hacerlos libres, apenas hubieran abjurado de sus supersticiones. Para los juristas eran «gente ajena a la Cristiandad, no vasallos del rey de España y ante los que no tenían responsabilidad moral». Hasta fray Bartolomé de las Casas, tan sensible al sufrimiento de los indígenas, apoyó la esclavitud de los africanos y bien que se arrepentiría con el tiempo, a la vista del despiadado comercio que se enriquecía a costa de traficar con carne humana. En 1518 se extendieron las primeras licencias para la trata de esclavos negros. La caza se montaba en Cabo Verde, en Guinea. A medida que las posesiones se iban ensanchando, la demanda de braceros era cada vez mayor. Las licencias de importación eran papel codiciado por los beneficios que reportaba la venta de los esclavos en pública subasta y al mejor postor, bien por lotes o a tanto la pieza. El tráfico comercial dedicado al transporte de la gente de color floreció de tal modo que muy pronto tentó al contrabando. En este menester encontramos al británico Hawkins —sobre el que volveremos— y que es una mezcla de mercader-contrabandista-pirata que toma las Antillas como punto de descarga del marfil negro que embarca en Sierra Leona y del que puede obtener buenos ducados, porque está violando el monopolio implantado por España y que impide el tráfico de naves extranjeras con los puertos del Caribe.

Esta inyección de hombres procedentes del continente negro, unida al decrecimiento demográfico del indígena de las islas hizo que, al paso del tiempo, en muchos enclaves caribeños no quedara rastro de las razas autóctonas. Con todo, en la etapa de colonización y consolidación de la conquista, durante el siglo XVI, coexistían el amo blanco con el siervo indio y el esclavo negro. Y el inevitable cruce entre unos y otras y viceversa, provocaría la aparición de unos tipos humanos novedosos por la originalidad de sus rasgos y la variable pigmentación de sus pieles. El cruzamiento entre blanco e india y sucesivos, originaría el ya aludido mestizaje, con sus variantes de «castizo» y «morisco». El de blanco y negra, el mulato con sus descendientes cuarterones y octavones. Y el de negro e india —no tan prodigado— daría nacimiento al mulato «lobo».

Hacia 1520, la penetración hispánica en las Indias había creado once villas en las islas caribeñas. Los sucesivos asentamientos formaron nuevos núcleos habitados que de La Habana a Cartagena de Indias, de Barlovento a Sotavento fundaron unas comunidades dedicadas al comercio, a los cultivos, a la construcción o a la explotación minera. Su posición costera obligó a adoptar medidas de defensa en Cartagena, Portobelo, Río Hacha, en forma de presidios, bastiones, fortines y murallas. Sin embargo, la Corona española no se había mostrado muy proclive al envío de armas a Ultramar. Argüíase que «el clima húmedo y cálido enmohece las armas, pudre la pólvora y los víveres». Por otro lado, tampoco la dotación individual en mosquetes, alabardas, arcabuces y ballestas era abundante, no fuera a ser que, en la sociedad que se estaba creando, brotaran gérmenes de rebeldía difíciles de atajar dada la lejanía. El temor a unos nuevos comuneros, nacidos al otro lado del mar, despertaba una suspicacia que sería larga en consecuencias para la seguridad de las posesiones ultramarinas.

La exploración de Tierra Firme por las costas de la yuca (Yucatán) traería la fundación de nuevos poblados como Villa Rica de la Veracruz, Santiesteban del Puerto y el islote de la Gallega, con su fortaleza de San Juan de Ulúa, futuro escenario de refriegas. Con ellos, se abría camino la idea de la enorme continentalidad de los nuevos territorios. Su ensanchamiento hizo crear, en 1535, el virreinato de la Nueva España. Era ya una gran expansión por el área del Caribe que se estructuraba orgánicamente en virreinatos, audiencias, visitadores, corregimientos, cabildos y ciudades.

Hombres salidos de las tierras ibéricas estaban escribiendo una gigantesca epopeya. De su magnitud se hacía eco López de Gómara al escribir, en la dedicatoria a Carlos V de su *Historia general de las Indias*, lo siguiente:

«La mayor cosa después de la creación del mundo, sacando la encarnación y muerte del que lo creó, es el descubrimiento de las Indias.»

Entre 1522 y 1552 se exploraría la inmensidad del nuevo continente, mientras en las posesiones del Caribe, como punta de lanza de los aposentamientos, se fraguaba una nueva sociedad con sus colonos que ya integraban una nueva clase, los criollos, hombres y mujeres que eran ya españoles del Nuevo Mundo o, mejor dicho, súbditos de los reinos de América cuando, en tiempos de Carlos V, se otorgó un carácter universalista a la incorporación de los nuevos territorios a la Corona de los Habsburgo.

El impacto que el Nuevo Mundo tendría sobre la Europa del siglo XVI sería acertadamente definido por Elliott de esta manera:

«El Descubrimiento tuvo importantes consecuencias *intelectuales*, puesto que puso a los europeos en contacto con nuevas tierras y nuevas gentes, y como consecuencia puso también en duda un buen número de prejuicios europeos sobre la geografía, la teología, la historia y la naturaleza del hombre. También América constituyó un desafío *económico* para Europa, puesto que puso de manifiesto ser, al mismo tiempo, una fuente de abastecimiento de productos y de materias de las que existía una demanda en Europa, y un prometedor campo de expansión para los negocios empresariales europeos. Finalmente, la adquisición, por parte de los estados europeos de territorios y recursos en América, estaba destinada a tener importantes repercusiones *políticas*, puesto que afectó a sus mutuas relaciones al producir cambios en la balanza de poderes.»

Este impacto incidía sobre Europa de manera decisiva, al propalarse la noticia de la existencia de unas riquezas cuyo compendio era el oro. Y el oro era poder. Un poder que revertía sobre la corte de España, en trance de convertirse en la más poderosa del orbe. Un comercio trasatlántico, portador de las mercancías ultramarinas, se había organizado gracias a los bajeles que hacían el tráfico entre los puertos del Caribe y la propia metrópoli, comercio que estaba monopolizado por el grupo de cargadores de Indias, censados en la Casa de Contratación de Sevilla. Las ordenanzas del monopolio indicaban que «a todo corsario luterano le estaba prohibido ni comprar ni vender víveres ni bastimentos en las plazas de soberanía hispánica», razón ésta que tentaba infaliblemente al contrabando y a la acción pirática ansiosa de botín.

Fácil es deducir que el Descubrimiento había estimulado a otras monarquías europeas a patrocinar aventuras en busca de nuevos caminos hacia las plantaciones de pimienta, jengibre, clavo y nuez moscada, o quién sabe si a la conquista de nuevos territorios sobre los que ensanchar sus dominios y no rezagarse respecto al reino de España. Tan tempranamente como en 1498, Enrique VII de Inglaterra había subvencionado a Juan Cabot, navegante veneciano quien, junto a su hijo Sebastián y a bordo del *Matthew*, recorrió el litoral del continente americano llegando hasta Terranova. El cartógrafo florentino Américo Vespucio, ora al servicio de España, ora al de Portugal, llega hasta las pequeñas Antillas en 1499 y su paso es tan afortunado que hasta da nombre al nuevo continente. El también florentino Giovanni Verrazzano, al servicio de Francia, haría en 1524 un reconocimiento por las costas atlánticas llegando hasta lo que hoy es Nueva York. Francisco I de Francia, por su parte, patrocina la expedición de Cartier en 1534 que llegó a poner su planta sobre lo que es actualmente el Canadá.

El atractivo del Nuevo Mundo iba a ejercer una fuerte fascinación sobre los navegantes ansiosos de unir su nombre a tierras vírgenes y ponerlas a disposición de sus mentores. Pero también iba a provocar no menor fascinación entre los que vieron en las nuevas tierras y en su comercio ocasión única para practicar el latrocinio marítimo. Era el momento de aparejar, armarse y con una tripulación resuelta consumar una de las más antiguas formas de delito desde que el hombre se aventuró a surcar los mares a bordo de una embarcación, es decir, la piratería, el asalto a un navío en alta mar con el fin de apropiarse de los bienes, de las personas o de la misma nave. Sin excluir otra modalidad pirática: el desembarco, seguido de asalto, a una plaza más o menos guarnecida.

Ciertamente, lanzarse hacia lo desconocido navegando por el proceloso Atlántico, bajo el solo impulso de las velas, no era cosa baladí en pleno siglo XVI. No obstante, en los comienzos de este siglo, los perfeccionamientos en la construcción naval habían reportado un ostensible progreso que dejaba obsoletas las antiguas galeras. Se entraba en la era de las naos, los galeones, las carabelas, en cuyo casco se unía la robustez a la finura. Los castilletes de proa y popa hacían más airoso el perfil y protegían contra los golpes de mar. Las velas, latinas o cuadras, repartidas en dos o tres mástiles, aseguraban el máximo impulso de los vientos. La adición posterior de foques y cangrejas aumentaba velocidad y manejabilidad. Por otra parte, salir a mar abierto sin la referencia «de cabo a cabo» —como había sido la mayoría de la navegación hasta finales del siglo XV— requería un sentido marinero que extraía el mejor partido de brújulas, compases y astrolabios en unas travesías contra vientos, mareas y corrientes no bien codificadas. Aquellas navegaciones en los correos de Indias por «el mar de hierba» siguiendo la ruta de Colón, y las que se harían más al septentrión años después, contribuyeron decisivamente al mejor conocimiento de la cosmografía en tiempos en los que la redondez de la Tierra era suposición confirmada por Magallanes y Sebastián Elcano en su primera vuelta al mundo en 1519. Los viajes duraban meses; la comodidad era nula, y los riesgos, todos. La alimentación a base de bizcochos, salazones o guisos sancochados ponía a prueba todas las resistencias. A veces, el colofón de una travesía era caer en el vórtice de un huracán —como los llamaban los antillanos— capaz de desarbolar aquellos cascarones. La gesta de las Indias, antes de rubricarla en Tierra Firme, hubo que escribirla sobre el mar, desafiando temporales por todos los cuartos de la rosa náutica, estableciendo unas comunicaciones marítimas que aseguraban el enlace entre España y un mundo nuevo, cuya leyenda empezaba a hacer olvidar las maravillas del país del Gran Khan o las riquezas del Cathay de Marco Polo.

El denodado impulso continental que siguió al Descubrimiento hizo desdeñar la posesión de buen número de islas de las pequeñas Antillas que quedaron abandonadas, consideradas como «islas inútiles», en comparación con las ínsulas mayores o los grandes horizontes del continente. Su disponibilidad despertaría la codicia de las potencias europeas, sobre todo Inglaterra, Francia y Holanda. Otras pequeñas islas, como la de Tortuga al noroeste de La Española, la de Providencia, frente a Portobelo, o la de Pinos, junto a la costa meridional de Cuba, se convertirían en base de operaciones para los hombres que con patente de su rey o sin ella se dedicarían al hostigamiento de las costas y al asalto de las naves, dispuestos a escribir una nueva y más sangrienta página de la historia de la piratería.

Capítulo II

HAWKINS, PROVEEDOR DEL MERCADO NEGRO

La piratería es tan antigua como la navegación y su origen se confunde con los comienzos del tráfico marítimo de mercancías. En el mundo antiguo, nacido en los márgenes del Mare Nostrum, el tráfico fenicio hacia Occidente dio origen a las primeras presas de las que se tiene noticia. Las embarcaciones de cabotaje, a remo o a vela, eran tomadas por asalto por hombres armados en busca de mercaderías o en captura de rehenes sobre los que exigir un rescate. El siglo VIII contempla el auge de los piratas sarracenos que, en sus correrías por el Mediterráneo, hostigan a las galeras genovesas y venecianas que mantienen el ventajoso comercio de las repúblicas con el Cercano Oriente. Un siglo más tarde, la piratería cobra impulso en los mares del Norte. Los vikingos, marinos que conocen todas las artes de navegar, ponen en jaque el floreciente comercio trasportado por las urcas de la Liga Hanseática y, en su osadía, llegan con sus drakkar hasta las costas de Irlanda, las de Normandía y se adentran por los ríos, pillando y saqueando a su paso. Al llegar a la Edad Media, la piratería vuelve a rebrotar en el Mediterráneo, a bordo de los jabeques berberiscos. Su acción alcanza tal importancia que deja de ser iniciativa individual para convertirse en arma al servicio de unos designios superiores; y de la galeota aislada se pasará a la flota. El sultán de Constantinopla, Solimán el Magnífico, crea la amenaza turca poniendo a los piratas a su servicio, otorgándoles una licencia para el ataque y saqueo de las carracas cristianas. Con ello se da un importante paso, y es el de otorgar carta de naturaleza al corsario, que es igual que el pirata, pero amparado por una licencia a la que llaman patente de corso. Los hermanos Barbarroja adquieren un siniestro renombre. Naves y puertos son víctimas de ataques piráticos que darán tema literario a los cautivos que puedan contarlo, como fue el caso de Cervantes. La hegemonía otomana fue tal que hubo momentos en los que las tres cuartas partes del mar latino estaban controladas por los barcos que enarbolaban la media luna.

La batalla de Lepanto puso fin a una expansión que era peligro para el Occidente cristiano. Para entonces, la piratería tenía un nuevo epicentro: el canal de la Mancha. Bretones y britanos alternan sus fechorías. Los piratas de Dieppe abordan las naos inglesas. Y los de Devon, las de las Galias. El próspero tráfico de las urcas flamencas, plenas de mercaderías, se ve turbado por un bandidaje marítimo que llega hasta el golfo de Vizcaya. Francisco I de Francia y Enrique VIII de Inglaterra alientan estas acciones que siguen la tradición de escandinavos y normandos como depredadores marinos. En el caso de Inglaterra, la cuna de la piratería estaba en Devon y en Cornwall. Los moradores de estas regiones vivían del mar, ya fuera del bandidaje o del saqueo de los naufragios. En las aldeas ribereñas todas las noches se rezaba una plegaria vieja de siglos que decía: «Señor, haz que no haya ningún naufragio, pero si tiene que haber alguno, que sea en las costas de Cornwall.»

Entre el reinado de Enrique VIII y el de Isabel I, la piratería creció esplendorosamente. A ello contribuyó la necesidad inglesa de poseer fuerzas navales irregulares para utilizarlas en caso de guerra. Para ello bastaba otorgar la correspondiente patente o dar a la piratería un estatuto semilegal, para lo cual lo más seguro era hacer partícipes de sus beneficios a personalidades influyentes. Los piratas isabelinos estaban dirigidos por un sindicato en el que intervenían personalidades del Gobierno y de la Armada. Estos magnates, como es obvio, no participaban directamente en los asaltos. Ellos invertían dinero en la empresa, facilitaban barcos, abastecían de provisiones y detenían cualquier investigación que amenazara con descubrir concomitancias peligrosas. Los puertos de Southampton y Plymouth estaban controlados por hombres del sindicato y allí arribaban, sin riesgo alguno, las naves apresadas.

En estas circunstancias, marineros, pescadores y hasta aventureros de alcurnia, afluían al pirateo seguros de encontrar botín en la impunidad más absoluta. Personalidades de aquel tiempo, como los *gentlemen pirate* Godolphin y Gobham, sintieron la comezón del riesgo en alta mar y se entregaron a prácticas delictivas. Tanto ellos como otros personajes, no tan arriesgados, acusados de complicidad en el bandidaje marítimo, tuvieron que hacer frente a cargos por piratería, cargos que se desvanecieron porque el que manejaba los hilos de la más poderosa organización y ganaba por ello fabulosas sumas de dinero era sir John Killigrew, que estaba emparentado por línea directa con el primer ministro que era, a la sazón, lord Burleigh.

La existencia del Nuevo Mundo iba a replantear la estrategia de los piratas del canal y hasta la de las cancillerías. España y sus posesiones se convertirían en el gran objetivo. Las noticias de las Indias empezaron a acalorar la mente de los hombres de mar que en Saint-Malo, en Dieppe, en Portsmouth o en Falmouth piensan en apresar el tráfico hispano con las Indias, esos galeones que navegan por el Atlántico abarrotados de tesoros y mercancías ultramarinas. Y el espíritu de rapiña sueña, también, con las plazas costeras que en el Caribe insular o en el continental están habitadas por unas comunidades escasamente armadas y en las que, sin duda, se está creando una riqueza de nuevo cuño, hecha de ducados atesorados por hacendados y encomenderos, por los ricos ornamentos religiosos que la devoción deposita en las iglesias y basílicas que en la Nueva España levanta la fe.

Las brumas del tiempo han desvanecido la certeza de quién fuera el primer salteador de galeones o galeazas que escogiera el Caribe por escenario y el pabellón español por víctima. Sea quien fuere, tuvo el dudoso privilegio de abrir un camino delictivo cuya acción estaba destinada a durar más de dos siglos, tal fue el arraigo y la rentabilidad de unos actos que revistieron múltiples facetas y todas perjudiciales para el discurrir de nuestro comercio o el bienestar de nuestras plazas. Para Madariaga, la primera ofensa se sitúa en 1527 y hasta da la fecha con exactitud: el 27 de noviembre. El lugar: el puerto de Santo Domingo. El protagonista: un velero británico de tres mástiles con aspecto de nave de mercaderes que ofrecen un cargamento de lienzos para su venta en la plaza. En pleno regateo del precio, a bordo del barco, el estampido de un cañonazo que rozó el velamen, dispersó la reunión. Mientras los españoles a golpe de chalupa ganaban el muelle, los ingleses se hacían a la vela sin más tardar. Aquel cañonazo procedía inequívocamente de la fortaleza y tomándolo los ingleses —con toda lógica— por un ademán inamistoso, dio pábulo a una represalia con todas las de la ley. Días más tar-

de reaparecieron fuera del alcance de los falcone-
tes, desembarcando en las afueras una tropilla de
hombres armados de arcabuces que se extendieron
por la campiña, robando y esquilmando las haciendas y, según palabras del cronista Wright, «dejando una estela de ominosas amenazas». La intru-
sión recaba sobre sí una incierta primacía en las
acciones mar-tierra, de las que hay noticia sobre la
piratería antillana. Mas por aquel entonces el acecho a los correos hispánicos se había emplazado en
las costas de Cuba, en las de Yucatán, en el estrecho de la Florida, rumbos frecuentados como paso
obligado de los bajeles que, con valiosa carga general, navegan en demanda de aguas hispalenses.
Y las primeras noticias de asaltos tienen acento
galo. Los nombres de Jean Terrier, de François Le
Clerc, llamado Pie de Palo, empiezan a ser men-
tados por sus tropelías, abordajes a barcos aislados
o dispersos por un temporal. También se hace notorio un pirata holandés llamado Cornelius Jol que,
al parecer, tiene gran olfato para las presas. Entre
los que navegan empieza a apoderarse el temor de
que el grito marinero de «¡Barco a la vista!» alerte
de la cercanía de un forbante que no respete ni vidas ni haciendas. También es francés Jean D'Ango,
que disfraza sus felonías con un título de corsario,
al servicio de Francisco I. Pues bien, D'Ango ex-
polió al rey de España doscientos ochenta millones
de maravedises, en uno de los golpes más espec-
taculares y que más contribuyeron a crear la leyenda del Caribe entre los malandrines. De quien
también queda carta cabal de su fortuna es del pirata Jean Fleury, de Honfleur, quien tiene la suerte
de topar en su merodeo con unos galeones a los que
intimida a cañonazos y aborda sin dilación. Al pirata se le nubla la vista cuando comprueba el cargamento que ha caído en sus manos: es nada menos que el tesoro que Cortés envía a su emperador

en prueba de su conquista del reino de Moctezuma. Oro, perlas, estatuillas, máscaras incrustadas de la piedra verde de la Nueva España, círculos de plata con el calendario de los aztecas... Toda una riqueza deslumbrante que hace famoso a Juan Florín, pues así se le cita, castellanizando su nombre, por las posesiones españolas. Un nombre que se recuerda con iracundia, pues ha sido mucha su osadía. Cuando Fleury entra en La Rochelle con su cargamento de opulencias —que se valoran en ciento cincuenta mil ducados— el rumor del platal corre por las posadas, por las lonjas de reunión de las gentes de mar. Y una palabra resuena con mágicos atractivos: el Caribe. Fleury entraría en los relatos del Nuevo Mundo, y su fin sería narrado en estos términos por el cronista de Carlos V:

«Andaba en aquel tiempo por la mar un muy famoso corsario francés que había por nombre Juan Florín, el cual había diez y ocho años que andaba robando a españoles y venecianos y a italianos, y a todos los enemigos del rey de Francia, el cual le daba en cada un año 4 000 coronas porque asegurase sus naos y hiciese guerra a sus enemigos; y a 3 de octubre, se toparon en cabo de San Vicente seis galeones vizcaínos con el corsario Juan Florín y como reconociesen la armada del dicho corsario, acordaron de embestirle y pelear con él y aferradas las naos de los unos con las de los otros, fue entre ellos una tan denodada y reñida pelea que duró desde las ocho de la mañana hasta las dos, después del medio día, ofendiendo y defendiéndose mucho el corsario Juan Florín, mas al fin como era llegada la hora de su infeliz fortuna, echaron el galeón en que él venía al fondo y a él le tomaron preso y puesto en la cárcel confesó haber robado y echado al fondo 150 naos y galeras y galeones y zabras y bergantines, y que una vez tomó una nao del Emperador que venía de las Indias con más de 30 000 pesos en oro...»

La suerte, que tan propicia se había mostrado con Juan Florín en sus largas singladuras piráticas, se le tornó esquiva en el trance final. Tras ser ahorcado, su cuerpo quedó expuesto largamente para escarmiento de bribones.

La presencia británica en el Caribe se hizo patente —en su inicio— mediante el uso de métodos más astutos: transgrediendo las leyes de Indias por la vía del contrabando. El nombre de John Hawkins ha aparecido ya en estas páginas al mencionar los principios de la trata de negros. La noticia de que los españoles estaban importando africanos para el trabajo en los cañaverales, había llegado hasta la City. Y John Hawkins, de familia adinerada, hijo de William Hawkins, armador y navegante que ha abierto rutas con Guinea y el Brasil, ve el cielo abierto para competir en el mercado negro del Caribe. Sus razones no difieren de las de los españoles. A fin de cuentas se trata de negros esclavos de otras tribus y es de suponer que el comportamiento que con ellos tengan sus amos blancos siempre será más humano que el de sus salvajes dominadores. Y como la demanda es alta, el mercado caribeño ofrece expectativas pródigas en beneficios, si se sabe actuar con tacto a la hora de burlar las leyes monopolísticas que vetan a protestantes y extranjeros en general el intercambio de mercancías con las plazas de soberanía hispánica. Y a Hawkins, honorable comerciante y marino profesional, le sobran maneras y habilidades. Nuestro hombre busca el respaldo de una sociedad que con el tiempo será presidida por el rey Jacobo I y, merced a su ayuda económica, puede fletar sus barcos y con ellos se dispone a ir en busca de la materia prima. La encuentra en Sierra Leona y con su cargamento y una buena dosis de cautela, fondea en Cartagena, en Santiago. A veces, la mercancía llega en mal estado, pero eso se arregla untando las carnes de esclavo con aceite de palma: las deja lustrosas como el charol. La venalidad de los gobernadores, la sobornabilidad de los funcionarios, permite a mister Hawkins hacer pingües negocios. Sus viajes se hacen casi con la normalidad de una línea regular, porque Hawkins conoce todas las artimañas de un buen negociante y sabe cómo colocar el ébano que lleva en sus bodegas. Unas veces recala por «equivocación» en el puerto deseado; otras, pide entrar de arribada forzosa, harto de capear un temporal. Si es preciso, sabe persuadir y bienquistarse con las autoridades. En cierta ocasión vende a buen precio doscientos negros en Santo Domingo y para garantizarse el libre paso deja en depósito cincuenta más, «por si hay que pagar algún tributo».

Hay que reconocer que la carga valía la pena: negrazos forzudos de color carbón, estupendos para el trabajo en las plantaciones; negrillos ágiles que hacían un «boy» inapreciable; negritas contoneantes a las que los españoles, sin prejuicios raciales ni manías discriminatorias, convertían en sirvientas para todo servir. A las indóciles, unos latigazos las volvían más sumisas. Hawkins sabía que, ante aquella feria, se imponía el quebranto de las leyes porque, al fin y a la postre, era el bien de la colonia —precisada de mano de obra y de servicio doméstico— lo que estaba en juego.

Así se coronaba el tráfico de esclavos de color, una de las páginas más siniestras en la crónica del dolor humano. El viaje, atados por parejas, hacinados en el sollado y en condiciones indescriptibles, expuestos a ser flagelados y maltratados por cualquier motivo, era de lo más despiadado. La mortalidad durante la travesía, en las condiciones descritas, era elevadísima. Tiempo después, las primeras estadísticas hablaban de un 25 % de defunciones convertidas en pasto de tiburones. A veces, los negros eran objeto de trueque por perlas, tabaco, azúcar o sal. La gran entrada se producía por La Habana, Cartagena de Indias, Jamaica, Haití. En Cartagena, a orilla del Atlántico en el istmo de Panamá, había una de las más florecientes negrerías, el mayor mercado de esclavos. A los hombres llegados de África se los distinguía por el nombre de sus tribus o territorios de origen: mandingas, biafras, congos, cafres...

Un documento venezolano de años más tarde describe así la subasta, el remate de aquella ignominia:

«En Cumaná a 7 de diciembre de 1620 el señor gobernador, los señores oficiales reales, el tesorero y el contador, mandaron hacer almoneda y traer a la plaza pública los esclavos, negros y negras, como hasta aquí se ha hecho. Y habiéndolos traído a esta plaza pública por Gonzalo, indio pregonero, fue dicho en altas voces: "Por el lote de veinte cabezas de negros y negras, chicos y grandes, que hacen quince piezas, dan 1 350 pesos; y por el lote de veintiuna cabezas que hacen dieciséis piezas, dan 1 300 pesos... ¿Hay quien puje? ¿Hay quien diga más? Que se ha de rematar en la persona que más diere por ellos"... Y asimismo se pregonó en venta dieciocho piezas de esclavos y esclavas, chicos y grandes, que están enfermos en la boca del río de esta ciudad, que hacen once piezas de esclavos. "¿Hay quien les ponga en precio, que se han de rematar en la persona que más diere por ellas?" Y pareció presente el capitán Juan de Haro, y dijo que ponía y puso las dieciocho cabezas de esclavos y esclavas que están en la boca del río de esta ciudad, en 800 pesos de a diez reales cada uno.

»Y aunque el dicho pregonero repitió muchas veces las dichas posturas, puestas en los dichos cuatro lotes de esclavos, no hubo mayor ponedor. Y por ser este día ya tarde, se dejó el almoneda para mañana que es día de fiesta.»

Siguiendo con el relato de las andanzas de Hawkins, en octubre de 1567 apareja de nuevo con destino al Caribe. El negocio ha requerido ampliación y son seis las naves que capitanea con porte de almirante y enseña en el *Minion*. Al doblar cabo Blanco, las seis se convierten en siete. Una carabela portuguesa ha tenido la mala fortuna de cruzar su rumbo con el de la flota, y la tentación de apresarla ha sido demasiado fuerte. La escala en Gambia dura el tiempo justo para llenar las bodegas con una espléndida carga general de mandingas. La primera tierra americana que avistan es Santo Domingo. Allí venden unos lotes y ponen proa a tierra firme. En Río Hacha, un joven capitán de 27 años que va al mando del *Judith* —una de las naos de la flotilla— da una muestra del carácter indómito y belicoso que habrá de hacer su fama. Y no tiene mejor ocurrencia que anunciar su llegada disparando sobre el poblado un cañonazo con fuego real. El joven marino se llama Francis Drake. Hawkins se enfada, pues nada es más contrario a su carácter que buscar pendencia. De Río Hacha costean hasta Santa Marta, Cartagena... El propio Hawkins narraría así las circunstancias del periplo:

«Fuimos costeando y yendo de una plaza a otra haciendo nuestro tráfico con los españoles como se pudo; la cosa era muy difícil, porque el rey de España había ordenado terminantemente a sus gobernadores que, por ningún motivo, permitiesen ningún comercio con nosotros; sin embargo, se hizo un buen negocio y nos divertimos mucho» *(sic)*.

El buen negocio había sido una cobranza de su mercancía en perlas, oro, plata, es decir en aquello que más se envidiaba de las riquezas transoceánicas. La expedición emprendió el viaje de retorno a través del estrecho de Yucatán a fin de enfilar el canal de las Lucayas y desde este punto, dejar las costas del nuevo continente. Un fortísimo temporal de cuatro días frustraría el feliz regreso. Con las naves casi desarboladas, Hawkins conduce su maltrecha flota hacia Veracruz, refugiándose, finalmente, en el puerto de San Juan de Ulúa. Para evitarse complicaciones y eludir un recibimiento inamistoso, el almirante hace flamear el pendón de Castilla. Después, parlamenta, se justifica por la superchería y pide que le den tiempo para reparar las jarcias, achicar las sentinas y recoser el velamen. Cuando están en plena faena, aparece súbitamente una flota de trece naves, carabelas, galeones y pataches, y en la nao capitana viaja el propio virrey de México. Hawkins se adelanta a dar el alto, aprovechándose de la ventajosa posición de sus bocas de fuego. El virrey pide explicaciones de la presencia inesperada de aquellos intrusos anglicanos. La situación se tensa y Hawkins echa mano de su mejor dialéctica, hasta tal punto que se intercambian unas visitas de cortesía, y en ellas se brinda con oporto, lo que no obsta para que, a modo de garantía, se haga un intercambio de rehenes hasta que el inglés tenga sus barcos en estado de navegar. En éstas se estaba cuando, inopinadamente, se desencadena el ataque contra los británicos. Culebrinas y sacres vomitan fuego contra sus navíos. El estallido de un brulote cargado de pólvora crea la más espantosa confusión. El *Minion*, con Hawkins a bordo, consigue salir avante y escapar de aquel infierno. Antes, otro de los barcos de su flota ha logrado levar anclas y escabullirse en pleno zafarrancho de combate. Era el *Judith*, el que tiene a Drake al mando, acción que posteriormente Hawkins reprocharía acremente a su subordinado, el joven y prometedor Drake. De las naves inglesas, sólo tres lograrían escapar del cañoneo y ganar el mar abierto. Desde aquel punto y hora, tanto Hawkins como Drake jurarían venganza contra los españoles.

Pocas veces el estampido de unos cañonazos ha retumbado tan lejos. Los de San Juan de Ulúa resonaron en Madrid y Londres, con tal estruendo que estuvieron a punto de provocar la declaración de guerra entre España e Inglaterra. No se llegó a tanto, pero desde aquel instante la política marítima de Inglaterra se destinó a quebrantar el poderío naval hispánico.

En cuanto a Hawkins, el incidente de San Juan de Ulúa le había costado caro. Había perdido barcos; había perdido hombres, entre muertos y prisioneros, y sobre todo, gran parte de las ganancias hechas en el viaje que con tan buenos augurios había empezado, estaban en el fondo del mar. Pero él no era hombre que se amilanase. Expone su caso a la reina, que se apresura a recomendarle moderación pues, según dice, «ya llegará el momento de tomarse cumplida revancha sobre quienes tan desconsiderado trato le habían dado». Sin desanimarse, intriga con el embajador de España, logra la libertad de sus hombres capturados, y hasta osa pedir una indemnización por daños y perjuicios.

El sucederse de su carrera fue brillantísimo. En 1572 fue hecho parlamentario por Plymouth. En 1573 accedió al cargo de tesorero de la Armada Real. Desde este puesto, su experiencia de marino contribuyó, a instancias de Cecil, el primer ministro, a modernizar la flota británica, al diseño de unos barcos veloces y manejables, con amplia dotación artillera porque desde la batalla de Brest, en 1512, entre las flotas francesa y británica, la estrategia naval había experimentado un gran cambio. Los tiempos del espolón y el abordaje habían quedado superados. La guerra naval debía perseguir el hundimiento de las unidades enemigas, más que la matanza de sus tripulantes. El porvenir era de las naves artilladas en la línea de flotación, con su cintura de piezas rodeando la obra muerta y, en lo más alto de los castillos, cañones inclinados hacia la superficie del mar, apuntando a la silueta del blanco móvil del adversario.

Cuando llegó el episodio de la Invencible, las ideas de Hawkins tuvieron sobrada oportunidad de revelarse ciertas y él, personalmente, pudo cooperar a su éxito participando en la batalla con el rango de contralmirante al mando del *Victory*. Ello le valió ser ennoblecido por la reina Isabel I.

En 1594 sintió nostalgia de su antiguo oficio de contrabandista-pirata. Las Antillas volvieron a atraerle porque en sus viajes las actividades mercantiles no le impidieron gozar de los encantos tropicales y él era hombre que «sabía pasarlo bien». Tenía entonces 62 años y, pese a ello, accedió a ostentar el mando nominal de una expedición sobrada de unidades y abundante de pertrechos. Por aquellas fechas, por los puertos del Caribe, Hawkins ya no era el más temido por los españoles. A «el Achins» como se le conocía dándole a su apellido una versión fonéticamente castellana, le había sucedido «el Draque», aquel retoño impulsivo a quien Hawkins había dado las primeras oportunidades de revelar su instinto de marino y su garra de corsario.

Hawkins murió en el curso de esta expedición, exactamente a la altura de Puerto Rico y sus restos fueron a parar a las aguas caribeñas, las mismas que había descubierto con ojos de mercader y espíritu pirático. Los pormenores de este viaje se narrarán al dedicar a Drake el capítulo que por su importancia merece.

Hawkins dejó huella de su paso por las Indias Occidentales constribuyendo a la negritud de un área geográfica tan dilatada que, desde Brasil a Nueva Orleans pasando por Venezuela, Martinica, Haití, Jamaica y Cuba, diríase que es una prolongación de África. Y dejó un mercado tan próspero que duró nada menos que hasta mediado el siglo XIX. Se calcula que en el trascurso de los cuatro siglos que la esclavitud contó con la bendición oficial de los estados, se llevaron de África a América doce millones de negros de ambos sexos. Sin ellos hubiera sido imposible la explotación exhaustiva de las plantaciones de azúcar, café, tabaco y algodón, base de las grandes fortunas indianas. Solamente en la isla de Cuba se introdujeron seiscientos mil negros entre 1792 y 1821, y ni la abolición oficial detuvo el gran negocio de la trata, ya que desde 1823 a 1865 se introdujeron clandestinamente en la isla más de trescientos mil hombres y mujeres de color.

La ocupación de negrero ha sido, y sigue siendo, una de las más rentables en una humanidad que todavía no ha sabido abolir la explotación del hombre por el hombre, cualquiera que sea el color de su piel.

Capítulo III

LAS EMPRESAS DE DRAKE, ANIMAL DE PRESA

Para Inglaterra, el asunto estaba claro. Una nación insular y que otorgaba al poder naval toda su vital importancia, no podía permitir impunemente el expansionismo hispánico en las Indias Occidentales, porque traería aparejado un incremento de la armada en protección de los territorios del Caribe y defensa de los correos de Indias, que ya navegaban en convoyes, en flotas, ante la insidia de los piratas. Ante este fenómeno se planteaba la alternativa entre no hacer nada o declarar la guerra a España, lo que, en 1570, se juzgaba prematuro e inoportuno. Entre estas dos posturas extremas surgió la solución intermedia, la más astuta, pero también la más desleal: la guerra de corso. Se llegó a la conclusión de que la mejor manera de tronzar el poder colonial y mermar la riqueza que España extraía de las Indias sería atacar las posesiones hispánicas y sus correos mediante golpes audaces llevados a cabo por hombres en disfrute de una patente de corso, con todo lo que ello podía significar de respaldo oficial; un respaldo que partía de la mismísima Corona inglesa. De este modo, sin estado de guerra previo, la navegación y las propias ciudades de ultramar sufrirían el acoso de unas acciones cuyo fin y cuyos medios en nada diferían de los utilizados por los piratas. Para los españoles, que tuvieron que sufrirlas en su propia carne o en sus propias pertenencias, aquello era piratería pura. Para los británicos eran actividades corsarias, justificadas por su rechazo al reparto del Nuevo Mundo decretado unilateralmente por el Papa Alejandro VI, que para colmo de reproches era español, se llamaba Rodrigo Borja o Borgia y se le acusaba de simonía y hasta de incesto, en la persona de su hija Lucrecia Borgia. La verdad es que antes que Papa era un hombre del Renacimiento.

El personaje apto para llevar a cabo esta política de acoso y derribo, se llamaba Francis Drake y había nacido en Tavistock, en 1540. Era hijo de un fanático protestante en cuyas inflamadas prédicas desplegaba una particular inquina contra todo lo español. Los Drake no gozaban del patrimonio que hubiera permitido a Francis hacer carrera en el comercio, ni poseían título de nobleza que facilitara su acceso a la élite del poder. Su único apoyo era el entronque familiar con los Hawkins de Plymouth, armadores, como ya se ha dicho al hablar de John, y que fueron quienes facilitaron el camino del joven Drake hacia su verdadera vocación: el mar. Desde temprana edad se le ve enrolado en las embarcaciones de Hawkins donde apunta inmejorables cualidades. Es un grumete listo para el que, muy pronto, la navegación es su mundo y el barco, su hogar. Su instinto le hace predecir la intensidad de unos vientos y el aprovechamiento de una bolina. Y cuando se trata de las faenas de a bordo, no hay gaviero más diligente ni timonel más resuelto en el manejo de la caña a la hora de barloventear. Su aprendizaje de piloto se consuma en largas singladuras en las naves de Hawkins dominando las diversas ocupaciones que requiere la navegación a vela. Y así hasta que a los veinticinco años le dan su primera oportunidad: una polacra que capitanea dedicándose al contrabando por el canal. Y si como navegante pasa la prueba, como matutero tiene la fatalidad de, en una ocasión, ver confiscada su carga por el exceso de celo de un guardacostas ajeno a la complicidad del sindicato.

En 1568 participa en la expedición Hawkins. Va al mando del *Judith* y en él acreditó sus dotes. El tráfico de carne humana no era lo suyo, pero a las plazas españolas que visitaba las observaba con mirada de corsario. Examinaba el emplazamiento de los baluartes, estudiaba los puntos débiles de la defensa, sondaba el calado de una dársena y no perdía detalle útil a sus proyectos. Aquel viaje será una toma de contacto con el terreno en el que se imagina como protagonista de una alta misión. Su discutida escapatoria de San Juan de Ulúa no es para Drake más que una demostración de sus capacidades marineras, al aparejar bajo el fuego y salvar su barco de las garras hispánicas.

En 1571 equipa tres fragatas por cuenta del conde de Essex. En Irlanda arde la sublevación de los católicos de Munster contra sus vecinos los anglicanos, y los hombres de Tipperary, de Limerick o de Cork, inducidos por los jesuitas, han de ser combatidos porque Inglaterra no puede tolerar una Irlanda enemiga, base de apoyo para sus adversarios, sean españoles o franceses. Drake opera como fuerza irregular acumulando experiencias que le familiarizan con las tácticas de la guerra naval. Pero el mar de Irlanda es un marco estrecho para él. Su sueño es el Caribe y hacia aquel mar se dirige su primera expedición. Allí, antes de delatar su presencia agresivamente, navega entre Darién y Yucatán haciendo alguna presa pero, sobre todo, costeando, reconociendo playas, bahías y estuarios donde abrigarse y anclar a la espera de futuros golpes. Su instinto bélico le hace fijarse en unos posibles aliados para sus acciones de pillaje: los esclavos negros que su primo Hawkins a ayudado a trasplantar. Y piensa, no sin razón, que puede encontrar en ellos complicidad y utilidad por su conocimiento del terreno y de las prácticas defensivas de las plazas. Hay en Panamá un grupo de negros, huidos de la férula de sus amos, que han adoptado una vida montaraz a los que llaman negros cimarrones. Drake se confabula con ellos y fondea en una bahía a la que por su recato llaman Puerto Escondido y que está a pocas leguas de Nombre de Dios, punto por el que, según confidencias de los negros, pasa el convoy de acémilas que transporta la plata del Pacífico al Atlántico para, después, ser embarcada para España. Drake aposta a su gente y monta una guardia que vigila día y noche el paso estratégico. Meses han de discurrir hasta que aparezca la cuadrilla de mulas con su carga de riquezas. Ya tenemos a Drake convertido en salteador de caminos. Desde un altozano, en el puesto de observación, se distingue el océano Pacífico y dicen que Drake, al verlo, dijo: «¡Ése será "mi" mar!» Historia y leyenda se funden en este instante de la vida del corsario. Se cuenta que llegó hasta Panamá disfrazado y, disimulando su acento, embromó a los españoles echando pestes «del Draque». El convoy, por fin, apareció y el asalto se hizo en toda regla. Quienes más ferocidad pusieron en la pelea fueron los cimarrones. Se pilló, se saqueó, se ensartó y las mulas que quedaron con vida se dispersaron aligeradas de su impedimenta, que era rica en oro, plata y piedras de joyería. Con el botín a buen recaudo, Drake parte a toda vela para Plymouth. Su entrada es triunfal. Por los *pubs* del puerto ha corrido la buena nueva. Un cronista describe así el jolgorio:

«Llegó a Londres con prosperísimo pillaje y viaje, donde fue recibido con el aplauso que de ordinario alegran las riquezas, pues hasta la reina hizo de esto excesivas demostraciones, con cortesías mayores que permitía su real persona, pero al fin mujer y que algo de aquello se originaba de codicia y deseo de meter las manos hasta los codos en tan grueso pillaje como llevaba el protestante, como se echó de ver, pues picada de aquella gruesa ganancia, trató luego de que se hiciese otro viaje con las fustas y gentes y aparato, a costa de lo robado en nuestras costas.»

El pirata se toma un merecido descanso en Devon. Es ya un hombre enriquecido y se permite tener una mansión con maestresala, postillón, palafreneros y una turba de criados. Pero sus 37 años no son aptos para la inacción. La aventura marinera le tienta de nuevo y en su imaginación aparecen nuevos horizontes, nuevos mares donde seguir asestando golpes al Imperio español. Como es ya un valor seguro, poner dinero en sus empresas es apostar al ciento por uno. Patrocinadores le sobran y Drake se hace a la mar el 15 de noviembre de 1577. La flotilla se compone de un navío —el *Golden Hind*— en el que Drake luce su enseña; otra nave —el *Elizabeth*—, las balandras *Mangold* y *Christopher* y la pinaza *Benedict*. En total, 164 hombres por toda tripulación.

Esquivando la tradición anterior a la dinastía de los Tudor que dicta que el mando de una flotilla en misión de guerra sea ostentado por un jefe militar, Drake ignora al caballero Thomas Doughby quien, como soldado, reclama el derecho, al menos, a compartir la capitanía con Drake.

La expedición piratea en Campeche, en el golfo de Honduras. Pero esta vez no es el Caribe la presa codiciada. El corsario piensa en el mar Pacífico, y con fe en sus conocimientos marineros elude los puertos alertados por su presencia y pone proa a los mares australes. Contornea las costas del Brasil en busca del paso que le ponga en franquía la entrada en el Pacífico. En Sanjulián, próximo al estrecho de Magallanes, Doughby, sintiéndose postergado, levanta los ánimos contra Drake. Éste, que tiene un carácter intransigente, responde formando un consejo de guerra contra su opositor. Los cargos son los de «amotinamiento y traición». La pena que corresponde, la de muerte. Doughby es ejecutado y Drake queda como único patrón y jefe supremo. Según relata David Howarth en su libro sobre la Armada Invencible, «la iracunda elocuencia natural de Drake durante el juicio sirvió para sentar de una vez por todas el puesto de capitán en los barcos ingleses. Desde aquel momento, "después de Dios y la reina", en el mar el capitán era la única autoridad». Costumbre que se haría norma en todas las marinas del mundo.

Al llegar al estrecho de Magallanes, sus naves viran a estribor y ponen proa al norte. El cuaderno de bitácora registra su navegación por unas costas desconocidas para el corsario que está sediento por atacar unas plazas desprevenidas, en plena retaguardia del Imperio hispánico. Y así pilla en Antofagasta y en el Callao. Los habitantes de aquellos parajes no salen de su asombro ante la agresión. Nadie podía imaginar que un pirata inglés llegase hasta aquella remotas aguas. En Guayaquil apresa una nave —la *Nuestra Señora de la Concepción*— cuyo cargamento encierra un auténtico tesoro en plata maciza. Sigue robando y confiscando por la Costa Firme, Panamá, hasta llegar a México donde desvalija la nao de Acapulco. Y prosigue su increíble periplo hasta la costa de California, la tierra que perseguía su compatriota Frobisher en su búsqueda del paso del Noroeste. Ahora ya no queda más que llegar hasta las Molucas. El viaje ha sido largo pero fructífero y las tripulaciones confían ciegamente en Drake porque, dejando aparte sus piraterías, es un marino excepcional.

La armadilla surca el Pacífico y llega a las islas Célebes. No importa que el escorbuto diezme las tripulaciones. Las islas de los mares del Sur son buen lugar para reponer fuerzas al sol del trópico y las indígenas alegrarán las horas de aquellos lobos de mar. En las Célebes, Drake ultima un acuerdo en nombre de Isabel I para importar canela, cardamomo, comino y hierbas aromáticas. Llegada la hora del regreso, Drake traza la derrota hacia el cabo de Buena Esperanza y tras doblarlo, hacen aguada en Freetown, de donde zarpan hacia Inglaterra.

Cuando en septiembre de 1580, después de casi tres años de viaje, Drake a bordo del *Golden Hind*, atraca, es decir, abarloa, en el puerto de Plymouth, se le recibe como un héroe nacional. Es el segundo nauta que ha circunnavegado el globo terráqueo. Y además de héroe, su país lo considera un benefactor. El valor del tesoro capturado, incalculable, se estimó en millón y medio de libras esterlinas. Se ha afirmado que el botín del *Golden Hind* fue base de la futura riqueza del Banco de Inglaterra. Y fuente de la prosperidad económica que haría de la City centro de contratación del comercio mundial.

Este expolio se estaba consumando a costa del erario español. Quedaba el socorrido recurso de, por vía diplomática, presentar la más enérgica protesta y de ello se encargó nuestro embajador en Londres, ante la propia Isabel I. Ésta, con buenas palabras, vino a decirle: «Tiene razón el embajador: vamos a ver lo que trajo Drake para devolver al rey de España lo suyo.» Y dispuso que se hiciera un inventario a cargo del magistrado Edmund Tremayne, persona de toda su confianza, como es natural. Tremayne, en carta posterior a un íntimo, revelaría la estafa consumada a impulso de la sobe-

45

rana: «Para que usted se dé cuenta de cómo he procedido en lo de Drake, le diré que en ningún momento he llevado a la cuenta más de lo que él ha querido mostrarme: y para decir a usted la verdad, le persuadí de que no me mostrara más de lo necesario, pues vi que obedecía órdenes de la reina y no lo revelaría a ningún ser viviente. De lo que mostró, tomé nota y esto se pesó, registró y empaquetó...» En resumen: que las cuentas del gran capitán no eran exclusiva ibérica.

El latrocinio se consumó, así como el ennoblecimiento del autor. En abril de 1581 Drake era armado caballero en el mismo escenario de sus glorias: en la cubierta del *Golden Hind*. Después, contrae matrimonio con una rica heredera y en la ceremonia la novia luce un colgante de oro y esmeraldas cuya procedencia nadie desconoce.

Para Drake era prácticamente imposible resistirse a la presión de los innumerables socios que le llovían con ánimo de participar en el negocio al que había puesto de moda su rentabilidad: el desvalijamiento a las colonias españolas. La tentación era muy fuerte para un hombre amante de la mar y ávido de aventuras y cuyo lucro se envolvía en pretextos patrióticos. Y cuando zarpa para su tercera salida, en 1585, lleva una flota integrada por treinta naves de diverso porte y dos mil trescientos hombres. Hay que reconocer que, con tal armada, se hubiera podido acometer una operación estratégicamente ambiciosa como apoderarse de una isla y crear una base de operaciones en pleno Caribe. Pero la táctica isabelina era «ver y esperar» y, mientras tanto, quebrantar la hacienda española, cada vez más necesitada del oro de las Indias. A esto conducían las acciones piráticas que, en todo caso, rehuían una guerra abierta para la que Inglaterra no se hallaba preparada.

¿Qué hacían, a todo esto, las colonias españolas

para defenderse de una amenaza constante? Dejemos que sea Salvador de Madariaga en su *Cuadro histórico de las Indias*, quien se explaye en torno a esta cuestión:

«La defensa de las Indias era, desde luego, tarea vasta y hasta sobrehumana y había miles de millas de costa sin defensa alguna... Las medidas de carácter naval tuvieron por objeto proteger a los barcos que hacían el comercio de las Indias. Se organizó un sistema de convoyes que partían de La Habana donde venían a reunirse las flotas de Tierra Firme y de Nueva España y cruzaban el Atlántico con escolta de barcos de guerra, mientras que dos flotas locales, una con base en Santo Domingo y la otra en Cartagena, protegían los movimientos del comercio entre las plazas, en el mar de las Antillas.

»En lo militar, puertos y ciudades próximas a la costa, se hallaban en principio sin protección. Poco a poco fueron construyendo los gobernadores, fortalezas no siempre formidables y, a veces, hasta de madera que por la falsa seguridad que inspiraban y la facilidad con que ardían, resultaron ser más útiles al enemigo que al español...»

Desafiando —es un decir, según lo que cuenta Madariaga— la protección de las colonias, Drake encaminó su rumbo hacia el mar antillano. De camino, se detiene en Cabo Verde, donde deja una huella de su estancia incendiando la diócesis de Santiago, al parecer porque no se halló botín digno de consideración. El acto es demostrativo de que Drake, recrecido por sus éxitos, está arrinconando cualquier remilgo de corsario para caer en el más puro bandidaje marítimo, en la granujada. Santo Domingo va a comprobarlo muy en breve, porque el hombre de Tavistock se propone dar un golpe de efecto sicológico, atacando la capital de La Española, el núcleo germinal de la cultura y de la expansión traída por los hombres del Descubrimiento.

Pero Santo Domingo no es ya el núcleo del capital antillano de nuevo cuño: es el centro desde el que se va impartiendo la cultura del Renacimiento en dos universidades. En su plan de ataque, Drake, como todo buen marino de guerra debe saber, rehúye el duelo con las fortificaciones de tierra y hace un desembarco en el *hinterland* que sorprende a los defensores. El éxito es completo, Drake se hace el amo de la ciudad y pide un rescate por abandonarla. Y como se resisten a dárselo, ordena el saqueo, casa por casa, edificio por edificio, seguido del incendio. Cuando la ciudad está en escombros, se retira. En total ha extorsionado 25 000 ducados, poca cosa para lo que él está acostumbrado. Las prácticas del flamante «sir» no dejan lugar a dudas en cuanto a su índole. Además ha tolerado que su mesnada profanara iglesias y él, personalmente, ha elegido a unos frailes para ahorcarlos públicamente por negarse a revelar el escondite de los dineros de su orden.

De Santo Domingo viaja a Cartagena. Allí, mientras parte de sus naves desfilan ostentosamente a la vista del puerto, mil de sus hombres ponen su planta en las playas, de noche y por sorpresa. La lucha es encarnizada, pero los británicos terminan por imponerse. Drake se aposenta como conquistador y se dispone a estrujar a la comunidad. Pide nada menos que un millón de ducados por irse. El método es siempre el mismo: ir destruyendo bienes hasta reunir la suma. Las monedas se extraen de los más impensados escondrijos. Entretanto, manzanas enteras de casas van siendo pasto de las llamas. La catedral queda reducida a cenizas. El odio al catolicismo, refina la ferocidad de los asaltantes.

En el momento en el que el pirata ha hecho acopio de 110 000 ducados, se da por satisfecho. Cuando reembarcan, Cartagena, uno de los más bellos y característicos enclaves de la América hispana, está en ruinas.

Al punto que habían llegado las tropelías del pirata, la tensión entre Inglaterra y España no podía tener más salida que la guerra. Pero éste fue el argumento usado por Drake cuando alguien le reprochó el no haber dejado plantado el pabellón británico en Cartagena. «La guerra no puede tardar —contestó el corsario— y mi presencia es más necesaria en mi patria que allí.»

En 1586 la noticia de que los astilleros españoles trabajan a marchas forzadas, inquieta a los anglicanos, pero Drake ofrece la fórmula tranquilizadora: anticiparse. Y como dos siglos más tarde hará Nelson en Copenhague —bombardear sin previo aviso la flota danesa— el corsario sienta el precedente presentándose en la bahía de Cádiz con treinta buques artillados y, sin ambages, abre fuego contra las naves hispánicas allí fondeadas. Veinticinco se van a pique. Después, bombardea e incendia el puerto y, al cobijo de la humareda, se da a la fuga. Consumada esta «hazaña», obvio es señalar que el hombre a quien España más desea ver colgado de un penol en lo alto del palo mayor, es al pirata inglés.

Viene ahora el capítulo de la Invencible y Drake al mando del *Revenge*, Hawkins al del *Victory* y Frobisher al del *Triumph*, son los *sea dogs*, los «perros del mar» que a las órdenes de lord Howard of Effingham que enarbola su insignia en el *Ark Royal*, maniobran a tiro de flecha contra los galeones, galeazas, urcas, zabras, pinazas y patatches, amén de alguna carabela, que formaban el abigarrado material flotante que se mandó al mar del Norte a luchar contra los vientos adversos, los mares inclementes y la movilidad de los navíos «rasos» que la innovación británica había armado para sorprender a la Armada filipina.

Drake, riquísimo y cargado de honores, no ceja en su odio visceral a España, ese odio que la óptica inglesa reviste de dignidad, justificando hasta sus peores barrabasadas. El éxito de Cádiz le anima a proponer otra expedición punitiva, esta vez contra La Coruña, puerto donde se supone han ido a parar los restos de la Invencible, las naves atiborradas de hombres heridos o enfermos y llenas de desperfectos. Su propósito es dar la puntilla a una flota disminuida y aniquilar un poder naval, competidor en el dominio de los mares. En 1589 se presenta ante la torre de Hércules. Pero, La Coruña no es el Caribe. La defensa hace frente al inglés; desde los cañones de los castillos, desde Punta Herminia se mantiene a raya al atacante. La ciudad se pone en pie de guerra y hay una mujer llamada María Pita, que se convierte en heroína del asedio. Drake no tiene más remedio que rendirse a la evidencia. Y, fallido su intento de acabar con los despojos de la Invencible, debe batirse en retirada.

Y llegamos a 1594. Va a empezar el último acto de la aventura del pirata. La tentación caribeña es tan grande que no resiste el volver al escenario de sus proezas. La expedición se organiza por todo lo alto: veintisiete buques y dos mil quinientos marineros con vocación de rufianes. Hasta el viejo Hawkins, a sus 62 años, experimenta el ramalazo de la aventura y embarca como almirante honorífico, porque el gobernalle será Drake quien lo maneje.

La armada zarpa de Plymouth y pronto navega a todo trapo. Para abrir boca, se proponen atacar las Canarias. Allí hay desplegada una flota española que entabla combate con los ingleses. El corsario no sale muy bien librado y ordena proseguir la andadura. La próxima arribada es a la isla de Guadalupe. También encuentran barcos a la vista y no amigos. Se abre fuego y en la escaramuza,

Drake pierde una nave. Sus hombres son hechos prisioneros y sobre ellos descargan los españoles toda la furia acumulada contra «el Draque». Bajo tormento, confiesan el objetivo inmediato de su almirante: Puerto Rico. Mientras Drake repara averías, reúne sus naves y da orden de partida, una escampavía vuela hacia el puerto de San Juan para dar la alarma: «¡Ha vuelto el Draque! ¡Ha vuelto el Draque!» El gobernador Tello toma sus medidas. Las fortalezas, el Morro, San Cristóbal, están alerta y cuando aparece el enemigo, empiezan a escupir hierro. Una de las balas atraviesa la cámara de la capitana, mata a varios oficiales y alcanza a Hawkins, quien muere poco después, de resultas de la herida. El viejo contrabandista queda allí para siempre.

El ataque es un fracaso, pero Drake se obstina en no reconocer que su buena estrella le ha abandonado, e intenta una maniobra de aproximación indirecta. Todo en vano. La defensa española es terca y encuadra a los barcos que empiezan a acusar el castigo en sus masteleros, en sus crujías. Allí no hay nada que hacer y así lo reconoce Drake, que ordena la ruptura del orden de combate. Río Hacha será su próximo destino, pero la alarma ha corrido por el continente. Las gentes han evacuado las ciudades, los puertos se han obstruido, hundiendo viejos cascarones en las bocanas. Santa Marta está desierta y en Cartagena se ha apostado la flota de las Indias a la espera del visitante. Allí se entabla el combate decisivo y Drake lleva la peor parte. Hay velámenes desmantelados, arboladuras quebradas y, para colmo, la disentería cunde entre los marineros. El propio Drake cae enfermo, las fiebres le devoran, pero el dogo todavía quiere morder y con lo que le queda en estado de navegar se propone ir a Honduras, a dar el golpe que salve la expedición. ¿Cómo va a regresar a Albión con las manos vacías? Un depredador como él no tiene más justificante a sus fechorías que el éxito. Para los perdedores, no hay perdón que valga ni fechoría que pueda disfrazarse de gesta. Pero la muerte puede más. Drake muere en alta mar, frente a Portobelo, como no podía ser de otra manera, en la escena que ha hecho su fama. Cuando su cuerpo se desliza por la borda hacia su sepultura oceánica, se oye el trueno de unos cañonazos como honores póstumos. Serán los últimos que anuncien «al Draque». Esta vez, definitivamente, de cuerpo presente.

El Caribe se ve libre de aquel personaje mítico, de aquel Dragón cuyo nombre, de tan extendido, acabó convirtiéndose en apelativo genérico que abarcó a todos los malhechores del mar a quienes se llamó «los Draques». Madrid respira, al fin. Londres le hace las exequias que merece aquel soberbio animal de presa al que adornaban unas extraordinarias cualidades de navegante, guerrero y patriota. Para su país, naturalmente.

Lope de Vega le dedica *La Dragontea* y de ella es este epitafio:

> *En sepultura de animales rudos,*
> *y de Jerusalem la puerta afuera,*
> *que no en su templo con trofeos y escudos,*
> *quedarás para siempre, bestia fiera:*
> *¡qué bien te llorarán los peces mudos!*
> *que roen en el fondo tu litera,*
> *al lastre mismo de las tablas presos,*
> *para gustar tus miserables huesos.*

Drake abrió el portillo para los ataques a nuestras posesiones del Caribe. La noticia de sus andanzas prendió y, poco después, llegarían otros dispuestos a seguir su huella con más infamia, hasta superarla. Sería la hora de los filibusteros.

Capítulo IV

A RALEIGH, EL MITO DE EL DORADO
LE HIZO PERDER LA CABEZA

Al encontrarnos con la figura de sir Walter Raleigh se precisa cambiar de escenario. Aunque nacido también en Devonshire, en Hayes, en 1552, Raleigh no vivió sus años juveniles en las cantinas portuarias entre pintas de cerveza, ni oliendo a brea en compañía de armadores, calafates y nostramos. Raleigh es un alevín de buena familia que pasa por Oxford y lee a Chaucer y a Bacon, escribe con elegancia y cultiva la poesía. A los diecisiete años hace su primera escapatoria guerrera marchando a Francia, a luchar en favor de los hugonotes. Y más tarde repetirá la experiencia sirviendo la causa del príncipe de Orange, en su batallar contra los españoles. En 1580, a las órdenes del conde de Leicester, marcha a combatir a los irlandeses y allí muestra tanto arrojo como fiereza en una guerra en la que se acuchilla y ensarta sin piedad.

A sus veintitantos años es un galán apuesto con un rostro viril al que enmarca una barba oval de rubios destellos. Su fama de soldado aguerrido y su personalidad culta e imaginativa le abren paso en la Corte porque Isabel I ha fijado sus ojos en aquel gentilhombre que, además de sus atractivos personales, cuida un atildamiento que se aprecia en el impecable almidonado de su gorguera, en la ostentación de su jubón de raso y en la ondulación de sus gregüescos. Como es hombre de admirable ductilidad, tan a gusto está repartiendo espadazos en campaña como alternando con chambelanes o haciendo frases rodeado de damas revestidas de terciopelo y brocado, sobre un fondo palaciego drapeado de damascos y brocateles.

En la Corte elisabética nadie duda de su figura de favorito en la predilección de la reina. Todo está a su favor porque, por si fuera poco, la campaña irlandesa le ha reportado un botín rico en acres arrebatados a los vencidos. ¿Dónde invertir aquel incipiente capital? Drake ha sido un seguro consejero en inversiones y, en consecuencia, Raleigh con su hermanastro, sir Humphrey Gilbert, organizan, en 1584, una expedición al nuevo continente en busca de botín. Todo quedará en un viaje de exploración con algún alijo de menor cuantía, porque los vientos han soplado adversos y las naves han ido a topar con las costas de lo que después será América del Norte. Quedará una experiencia útil y el deseo de repetir.

Contando con el privilegio de la reina, Raleigh en su segundo viaje echa pie a tierra de nuevo en el continente. Su plan no encubre propósitos piráticos. Su plan pretende aplicar ideas colonizadoras desembarcando en litorales no reivindicados y facilitando el establecimiento de familias en aquel territorio inexplorado, que Raleigh llamará Virginia en homenaje a su soberana, aunque en la dedicatoria haya más fervor que veracidad. La trascendencia de este hecho será grande, puesto que fue la base de la penetración británica en la parte norte del continente.

De este viaje, Raleigh importa el tabaco, origen de uno de los más tiránicos vicios de la humanidad. Aquellas novedosas hierbas rubias y tostadas empiezan a ser fumadas en cachimbas de brezo. Serán las antecesoras del filamento que se consumirá liado en cigarrillo. El polvo de tabaco, llamado rapé, hará furor entre los cortesanos. Y otra variante de esta solanácea, cultivada en las vegas cubanas, dará lugar a la manifestación más opulenta de las hierbas aromáticas combustibles: el cigarro puro. Y es tal el aprecio que cobra el tabaco apenas difundido que, más adelante, el premio a los esclavos libertos será unas libras de picadura capaces de fomentar una nueva esclavitud: la del fumar.

También se atribuye a Raleigh, en disputa con Drake, la importación a Europa de la «papa» o patata, el tubérculo que pasaría a ser plato básico de la cocina occidental, tras su dignificación gastronómica por el insigne Parmentier.

Patatas y tabaco son aportaciones que justifican el viaje de Raleigh, en cuyas miras había más propósitos coloniales que ansias de robo. Pero Raleigh es un ávido lector y en sus manos han caído los relatos de los cronistas de Indias, López de Gómara, Fernández de Oviedo; y las referencias del Nuevo Mundo inflaman su imaginación cuando se menciona El Dorado, un territorio que empieza a convertirse en mito. Un mito que acabará siendo su perdición.

En 1587 aparece en la Corte isabelina un mozo de bello aspecto y galantes maneras. Es Robert Devereux, conde de Essex. Tiene veinte años. La reina bebe los vientos por el recién llegado y Raleigh no tiene más remedio que dar paso a la juventud. Será su eclipse palatino y el comienzo de una enconada enemistad. Pero sir Walter no es hombre que acepte, así como así, una postergación. Su respuesta es seducir a una dama de la reina, Elizabeth Throckmorton, lo que encoleriza a Isabel, que ordena el encierro de Raleigh en una mazmorra de la Torre de Londres. De tan incómodo alojamiento es liberado para casarse con la dama, y el pleito se apacigua porque, ante la reina, Raleigh pronuncia una palabra de mágicos efectos: El Dorado, la promesa de viajar hasta él y hurtar el oro de los incas para ponerlo a los pies de su majestad. Y aquí empieza la historia de este inglés, fino y culto, a quien una obsesión va a convertir en corsario y a transformar en pirata. El aval regio no se hace esperar, y el anuncio de la expedición tiene un gran éxito de público. La aureola de sir Walter, su crédito de hombre de guerra favorecido por la fortuna, no admite dudas respecto al fin. Además, y por si faltara algo a su hoja de servicios, ha sido distinguido por el almirantazgo por su comportamiento valeroso contra la Invencible.

La expedición aborda el Caribe a la altura de la isla de Trinidad. Allí se saquea una ciudad inerme y se secuestra al gobernador español, Berrio. Después, Raleigh lo sienta en su mesa, lo agasaja y mientras navegan hacia la Guayana le pide toda la información sobre El Dorado. Y Berrio empezó a contar de caciques que arrojaban pepitas de oro al río Orinoco; de ciudades chapadas en oro, como la legendaria Manoa en cuya vecindad se hallaban los más ricos yacimientos auríferos. Era exactamente lo que faltaba para que la mente de Raleigh se disparara hacia las más delirantes fantasías. Cuando las naves llegan a la desembocadura del Orinoco, Raleigh se percata de la inmensidad del nuevo continente, de que sus cánones de europeo en cuanto a distancias se quiebran ante los enormes espacios, los inconmensurables ríos... Frente a la enormidad de tamaña aventura, Raleigh, que no es ni Pizarro ni Orellana, da orden de retorno, desembarcando al gobernador Berrio en Cumaná.

Para no irse sin dejar huella y, de paso, amortizar el desembolso de la excursión, Santa Marta y

Río Hacha vuelven a sufrir las penalidades de una invasión. El método es el de Drake: la extorsión a encomenderos y hacendados, el pillaje a las sacristías y el fuego a los bienes inmuebles. Los españoles ya tienen un nuevo pirata para castellanizar su nombre y apellido: le llaman «el guatarral». Sir Walter acepta su viaje como una probatura que le insta a no cejar. Su íntimo propósito es volver con más elementos, con más hombres y con más voluntad, dispuestos a superar las más ingentes dificultades.

Su biografía se ilustra, a continuación, con dos nuevos actos de piratería «para hacer méritos»; y en el siglo XVI cada vez que un inglés quería hacer méritos ante la Corona, quien pagaba el pato eran Irlanda o España. ¿Cuál era entonces la plaza portuaria más floreciente, la cabeza de puente que había sustituido a Sevilla en el comercio antillano? ¿Cádiz? Pues a Cádiz con una flota dispuestos a dañar naves, mercancías y edificios. Y Raleigh pudo reivindicar el dudoso honor de haber capitaneado una fuerza naval que ocupó y casi destruyó la ciudad de Cádiz, a cañonazos. La operación se ha visto empañada, en cuanto al apadrinamiento exclusivo de Raleigh, por un hecho para él muy sensible: el haber tenido que compartirlo con Essex, que también era de la partida y se esforzó en competir con su rival en lo lujoso de las cámaras. El año siguiente, el objetivo son las islas Azores, un sangriento episodio más en la guerra no declarada por el poder naval.

En las pausas entre tanta contienda, Raleigh cultiva la otra cara de su personalidad. Cuando su armadura de plata descansa en la trastienda de su residencia aparece el hombre que deja las armas y se dedica a las letras. Alterna con Shakespeare, con Spenser, lee infatigablemente y está escribiendo una gran obra sobre todo lo que ha visto y oído de

El Dorado, su fijación más obsesiva. La verdad es que la vida de este hombre está llena de altibajos, porque él no es un contrabandista astuto como Hawkins, ni un perro de presa como Drake. En su persona se alían sueño y realidad, sensibilidad y voracidad. Es generoso y vengativo a la vez, y bien que tendrá ocasión de demostrarlo en 1601, cuando su antiguo oponente en amores reales, el conde de Essex, tenga un grave fracaso en el Ulster donde ha ido a combatir a los católicos que acaudilla Tyrone. El fracaso se quiere encubrir en forma de pacto con el irlandés, pero la Corte no perdona. Essex es destituido de todos sus cargos, acusado de una conspiración para apoderarse de la City y obligado a comparecer ante un Tribunal en el que, casualmente, interviene Raleigh como testigo de cargo. La cuenta entre ambos se salda con la condena a muerte de Essex, por decapitación. En el siglo XVI era muy fácil perder la cabeza. La sentencia, tal y como la describe Arciniegas en su *Biografía del Caribe*, constituía lo que entonces se llamaba una «divina carnicería». He aquí, con todo detalle, su horripilante contenido:

«Que se le lleve a la Torre de Londres y de allí se le saque por las calles de la ciudad hasta Tyburn, donde será ahorcado: vivas aún las entrañas, se removerán de su cuerpo y arrojarán al fuego, se cortará entonces su cabeza y el cuerpo se dividirá en cuatro partes: la cabeza y los cuartos se colocarán en cinco distintos lugares que la reina designe.»

La postrera gracia real redujo la pena a la simple decapitación y sólo ante «testigos calificados». Entre ellos estaba Raleigh.

Cumplida la sentencia, el verdugo asió por los cabellos la cabeza, ya separada del tronco, y gritó a pleno pulmón:

«¡Dios Salve a la reina!»

58

A Isabel, en el crepúsculo de su vida, sólo le quedará recordar, hasta su desaparición en 1603, a aquel gallardo favorito al que había enviado a la muerte y del que se enamoró perdidamente cuando él tenía tan sólo veinte años y ella, cincuenta y tres.

Cuando a la muerte de Isabel I sube al trono Jacobo I, a Raleigh las cosas se le complican porque el nuevo monarca no le dispensa simpatía alguna. Su caída en desgracia va seguida de un proceso inculpándosele de «conspiración para alterar la sucesión», dado que ésta no podía ser directa pues al morir la llamada Reina Virgen, hubo de sucederla Jacobo, hijo de María Estuardo y lord Darnley, que era su más próximo pariente en la línea sucesoria.

Enfrentado al Tribunal que le juzga, Raleigh se defiende con elocuencia y rebate con lógica. Su oratoria, brillante, abrumó a los jueces que, no obstante, dictaron su condena a muerte, pero Jacobo, nada seguro de la veracidad de los cargos, hizo suspender la ejecución para, posteriormente, indultarle. La vida tuvo su precio y fueron trece años de prisión, trece años de privación de libertad para un hombre a quien su señorío había hecho libre desde la cuna.

Durante este largo encierro, Raleigh dio suelta a la pluma. Cuando lo visitaba lady Raleigh, que se le mantuvo ejemplarmente unida, lo encontraba siempre fumando los cigarros que le preparaba un indio antillano y leyendo o escribiendo. Entre soneto y soneto redactaba una monumental *Historia del Mundo* que debía ser la obra de su vida. A la hora de leer, tenía como texto preferencial su propio libro *El descubrimiento del vasto, rico y hermoso imperio de la Guayana, con un relato de la poderosa y dorada ciudad de Manoa (que los españoles llaman El Dorado)*, obra que había sido publicada en 1585 y que sería la destinada a darle celebridad como escritor, ya que se tradujo al francés, al holandés y al latín.

Fácil es colegir que el encierro y la incesante relectura de su obra, no hacía más que excitar la imaginación de Raleigh y lanzarle a los más quiméricos proyectos, con El Dorado como telón de fondo. En su relato puede observarse de qué manera miraba a América con ojos maravillados. De una cacica, decía:

«Raras veces en mi vida he visto una mujer mejor formada: era de regular estatura, ojos negros, buenas carnes, excelente porte y cabello tan largo como su propio cuerpo: he visto una lady en Inglaterra, tan parecida a ella, que si no fuera por la diferencia de color hubiera jurado ser la misma.»

En cuanto al paisaje, su descripción llega al éxtasis:

«Nunca vi país más bello ni paisaje tan lleno de vida: colinas que se alzan aquí y allá sobre los valles, ríos que se abren en muchos brazos, praderas sin malezas, todas vestidas de verdes pastos, el piso de dura arena para marchar a caballo o a pie, venados cruzándose en los senderos, aves que al atardecer cantan desde las ramas de los árboles en mil tonos diversos, cigüeñas y garzas blancas, rojas y encarnadas que se balancean a la orilla de los ríos, el aire fresco con su viento gentil y en cada piedra que nos deteníamos para recoger, señales de tener en su composición, oro o plata.»

Desde su reclusión, su capacidad de seducción hace llegar hasta el oído real la palabra que excita todos los magines: el oro de El Dorado. El vocablo mágico y un aval de mil quinientas libras le devuelven la libertad. Si el pirata ha perdido trece años de vida, el escritor los ha ganado. Cuando vuelve a contemplar el cielo de la libertad, tiene sesenta y dos años, pero su áurea ilusión se ha mantenido intacta. Y cuando tercamente habla de una nueva expedición, su viejo renombre hace milagros, reuniendo fondos, juntando adhesiones, atrayendo voluntarios. Pronto se fletan cinco buques y el entusiasmo no decae. Raleigh piensa secretamente en dar un golpe que asegure el éxito y empuje hacia la gran empresa. Y el golpe será apoderarse de la plata mexicana que se consigna para España. Después, se irá a la Guayana, al Orinoco, a las puertas mismas de la orgía dorada. Y cuando a punto de zarpar, Bacon le objeta que su plan es un acto de piratería, Raleigh le contesta con profunda filosofía:

«¿Cuándo habéis visto que se califique a nadie de pirata por robar millones? Sólo aquellos que se ensucian por cosas menudas son piratas.»

Pero el momento no está para pillerías. En 1604 se ha firmado la paz de Londres entre Felipe III y Jacobo I y el rey inglés ha obtenido de Raleigh la promesa firme de que no se entregará a actos de piratería contra las posesiones hispánicas.

Finalmente, la expedición larga velas en demanda de las Antillas. La componen catorce naves y Raleigh flamea su gallardete en *The Destinity*. Entre los integrantes forma un mocito espigado, exultante ante la aventura: es el hijo de Raleigh, Walter.

Muy pronto surgen los problemas. Fuertes vientos huracanados hacen ardua la navegación en formación. Por si esto fuera poco, entre la marinería brota un foco de fiebres infecciosas. Las bajas empiezan a preocupar. Cuando se avista la isla de Trinidad, la expedición se fracciona. El segundo de Raleigh, sir Lawrence Keymes, se destaca y capitanea una avanzada de la que también forma parte el hijo de Raleigh. Quieren tomar Santo Tomé al asalto, pero allí hay un gobernador —don Diego Palomeque— con madera de héroe. Pese a su inferioridad en hombres y en armamento, resiste bravamente hasta que es acuchillado. Palomeque muere, pero también cae el hijo de Raleigh. De Santo Tomé, después del asalto, no quedó piedra sobre piedra. Violencia sañuda e inútil que costará muy cara.

Keymes gobierna su flotilla hasta llegar a las bocas del Orinoco. Y cuanto más considera la magnitud de su aventura, menos ánimos encuentra para abordar la impenetrable selva de la Guayana. La gente empieza a desalentarse, la moral está por los suelos y Keymes es un marino, pero no un líder. Hay que volver a Trinidad y hacer tragar a Raleigh el dolor de padre y el acíbar de la derrota. Cuando Raleigh reprocha a su lugarteniente el descalabro, el hundimiento de todo el plan, Keymes se dispara un pistoletazo y muere.

El viaje de regreso es un funeral. Aquel sueño dorado se ha desvanecido como un espejismo.

Cuando llegan a Londres, se le piden explicaciones por las atrocidades de Santo Tomé. Y Raleigh no puede desparramar los millones de ducados, el oro, la plata, todo lo que diferencia a un pirata de un héroe como Drake. El embajador de España, Gondomar, clama, invoca y recuerda la promesa real: no habrá piratería. Jacobo I ordena el proceso inmediato contra Raleigh. Éste se sabe perdido, porque la celeridad de los trámites no le va a permitir defenderse con su arma más válida: su convincente palabra. Condenado a muerte, sólo tendrá una súplica: «Que me corten la cabeza como a un noble: que no me ahorquen como a un rufián y me hagan cuartos.»

Esta vez no podía haber perdón y el cortesano, el soldado, el escritor y el pirata, todas las vidas que ha vivido serán su postrera visión antes de subir al patíbulo que se ha montado en Old Place Yard, en Westminster. Subió con paso firme y todavía le quedaron fuerzas para decir unas palabras de disculpa y justificación. Conservó la serenidad hasta el fin y cuando se le acercó el verdugo con el hacha oculta a su espalda, le pidió que se la mostrara. Y tras observar el filo exclamó dirigiéndose al alguacil:

«Ésta es una medicina fuerte, pero que cura todos los males.»

En el momento supremo, antes de reposar su cabeza sobre el tajo, todavía pudo decir:

«No importa perder la cabeza si el corazón sigue en su sitio.»

Al fin, el verdugo descargó su terrible golpe y el filo hizo su mortal efecto.

La cabeza de sir Walter Raleigh cayó sobre un cesto que había sido recubierto de terciopelo, del color de la sangre que manaba de su cuello tronchado. Envuelta, se la mandaron a lady Raleigh. Era el día 29 de octubre de 1618.

Entre los habituados a presenciar una decapitación —y en aquel tiempo eran multitud— la opinión era unánime: jamás se había visto temple semejante como el exhibido por aquel condestable, a la hora de padecer el suplicio.

Al amparo del relato sobre la ejecución de Essex y la decapitación de Raleigh, es obligado hacer una disquisición sobre el tema de la crueldad humana. Porque en las páginas de esta historia tendremos que detenernos en las acciones de filibusteros y bucaneros —los piratas con base en el propio Caribe que nutrirán esta narración a lo largo de los siglos XVII y XVIII—, y en estas acciones destacará la brutalidad, el redomado ingenio para atormentar, que fue constante en las actuaciones piráticas contra hombres, mujeres y niños. La degollina de rehenes y prisioneros, las torturas refinadísimas a propietarios y rancheros para descubrir la existencia de tesoros ocultos eran moneda corriente en unos siglos en los que la historia del Caribe fue escrita por hombres truculentos sin Dios y sin ley.

Sin embargo, estas prácticas bestiales no pueden ser consideradas independientemente de las leyes represivas vigentes y, por consiguiente, de las maneras de torturar y privar de la vida en los estados, llamados civilizados, de aquella época. Una época en la que viven y escriben Rabelais, Montaigne, Cervantes, Lope, Shakespeare y Descartes. Pues bien, junto a estas cimas de la cultura y de la humanidad, las leyes de las naciones que albergaron a estos genios mantenían unos hábitos inquisitoriales y torturadores cuyo detalle escalofría. Tan sólo en Inglaterra y en pleno apogeo de la piratería, las personas convictas de traición —como hemos tenido ocasión de ver— eran colgadas, castradas, destripadas, troceadas y distribuidos sus miembros por las plazas públicas. La ejecución era un acontecimiento popular, trasladándose al reo procesionalmente de Newgate a Tyburn, ante millares de espectadores entre los que, como es obvio, abundaban las mujeres y los niños. La víspera del ajusticiamiento, la plebe lo celebraba cantando y bailando y entregándose a otras expansiones más libidinosas. Las sillas de primera fila frente al cadalso costaban diez libras, precio en el que iba incluido un tentempié.

Yendo a otras formas de punición, y siempre según la legislación penal británica, que no era ni mejor ni peor que otras del Occidente europeo, el marcaje a fuego de los ladrones era castigo habitual. La picota, precedida del corte de orejas, estuvo en funcionamiento hasta 1837. Los reos, expuestos en tan denigrante situación, eran bombardeados por la chusma con piedras y otros proyectiles. Muchos morían; otros quedaban lisiados para siempre. La pena de azotes, a hombres y mujeres, se mantuvo hasta bien entrado el siglo XIX. Se aplicaba a mendigos y vagos habituales, así como «a los clérigos culpables de ofensas al decoro público». Las torturas «persuasivas», como herencia medieval, seguían utilizándose para arrancar confesiones, hijas del dolor provocado por el potro, la rueda, la estrapada, los borceguíes, etc.

En la Marina inglesa, la pena de azotes con «el gato de las siete colas» por cualquier falta de disciplina se refinaba rociando con salmuera el torso tumefacto y sanguinolento del sancionado. El motín y hasta la ocultación de armas, eran castigados con la amputación de la mano derecha. Un escarmiento tradicional y bárbaro aplicado por faltas graves, consistía en pasar al castigado, amarrado a una cuerda, de costado a costado del barco, bajo la quilla. El roce con el casco, plagado de incrustaciones madrepóricas y caparazones de moluscos, dejaba completamente lacerado el cuerpo del marinero.

Esta tétrica exposición, aunque está tomada del Código Penal inglés, expone el espíritu de las leyes de una época sombría, cuyo rebuscamiento en la crueldad alcanzaba insuperables límites de sadismo y de horror cuando se aplicaba a los regicidas. Ravaillac, inculpado de delito de lesa majestad por el asesinato de Enrique IV de Francia, fue condenado, en 1610, a la última pena. Antes de quitarle la vida, hubo de sufrir que con unas tenazas le arrancaran pedazos de carne de su pecho, de sus muslos y de sus pantorrillas y que, en las llagas abiertas y en carne viva, se le vertiera plomo derretido, aceite hirviendo y azufre fundido. Todavía con vida y en el paroxismo del dolor, su cuerpo sería despedazado por el tiro de cuatro caballos atados a sus extremidades. Los nobles brutos, azuzados a latigazos, se esforzaron en vano durante una hora, en cuartear aquel martirizado cuerpo.

Ante lo bestial de este cuadro de castigos, las salvajadas de los piratas no pueden ser observadas ni juzgadas independientemente del espíritu de las leyes represivas de un tiempo en el que, como hemos visto, los castigos corporales, la aplicación de la tortura y los tormentos más espantosos, como preludio a la pena de muerte, eran prácticas tan aceptadas que un gentío enorme, sintiéndose sujeto de la vindicta pública, lo celebraba como una función.

Criminalidad y represión son dos conceptos que andan indisolublemente unidos. ¿Cuál precede a cuál? La respuesta la tienen los penalistas, pero aparece como evidente que si los poderes públicos sientan unas bases penales legitimadoras de las más redomadas manifestaciones de la crueldad y del sadismo, las acciones individuales se desarrollan dentro de una inhumanidad ambiental de nula ejemplaridad y proclive a la ofensa corporal. En cuanto a la ejemplaridad, baste recordar que en la época en que en Gran Bretaña el robo de una gallina se penalizaba con el escarnio de la picota, el mayor número de hurtos se perpetraban, precisamente, entre la muchedumbre que se congregaba para presenciar el sufrimiento de unos infelices expuestos a aquel bárbaro castigo. Los rateros hacían su agosto, indiferentes a la pena que tenían ante sus ojos, que, casualmente, era la misma a la que estaban expuestos por su delito.

El ensañamiento penal de gran espectáculo se mantendría aún durante más de dos siglos. Después entraría en una fase de descrédito. Como muy bien dice Foucault en su obra *Vigilar y castigar*: «El castigo ha cesado poco a poco de ser teatro. Y todo lo que podía llevar consigo el espectáculo se encontrará, en adelante, afectado por un índice negativo. Como si las funciones de la ceremonia penal fueran dejando progresivamente de ser comprendidas, el rito que "curaba" el delito se hace sospechoso de mantener con él turbios parentescos: de igualarlo, si no de sobrepasarlo en salvajismo, de habituar a los espectadores a una ferocidad de la que se les quería apartar, de mostrarles la frecuencia de los delitos, de emparejar al verdugo con el criminal y a los jueces con unos asesinos, de invertir al postrer momento los papeles; de hacer del supliciado un objeto de compasión o de admiración.»

Estas sabias reflexiones que esclarecen la evolución del *modus operandi* punitivo, vendrían mucho después. Para cuando filibusteros y bucaneros empezaron a operar en el archipiélago caribeño, crimen y castigo mantenían una ardua rivalidad en las fronteras de lo monstruoso. Es lo que va a ser tema de los capítulos que siguen en esta verídica narración.

Capítulo V

LA HORA DE LOS BUCANEROS.
MALDADES DEL «OLONÉS»
Y LOS HERMANOS DE LA COSTA

A principios del siglo XVII se cumplieron los primeros cien años del Descubrimiento. La tarea había sido titánica. Se habían conquistado inmensidades, se habían establecido comunidades, se había resistido la acometida de los celosos del poder hispánico, empeñados en truncarlo con buenas o malas artes. Pero nuestra presencia no abarcaba la totalidad de las tierras insulares, aisladas en la extensa área geográfica del Caribe. En aquellos años, primeros de la decimoséptima década de nuestra Era, los puntos de apoyo isleños más importantes eran Cuba, Puerto Rico y La Española. Entre las Antillas menores se dispersaban una larga cadena de islas, muy poco defendidas y, algunas, deshabitadas. Fue entonces cuando, entre hombres de las más varias procedencias, nació la idea de instalarse en algún trozo de tierra y llevar una vida nueva y libérrima, al margen de todas las convenciones. Estos hombres se instalaron al oeste de La Española y adoptaron una existencia selvática, viviendo de la caza de bestias salvajes, sobre todo de puercos cimarrones que los había en abundancia. Después secaban sus carnes al sol curándolas y

ahumándolas en barbacoas que ellos llamaban
«boucans», vocablo del que les vino el genérico de
«bucaneros». Poco a poco, la recala de algún barco
les dio idea del negocio: vender la carne salada o
trocarla por armas para cazar. La disponibilidad
de piraguas los anima a hacer correrías marítimas,
a remo o a vela, para comerciar o cometer rapiñas
entre los poblados que están al alcance de sus na-
vichuelas. La figura de estos belitres empieza a ser
identificada por los cayos, por las costas de aguas
someras. El padre Labat, en su libro de viajes por
las Indias de América, los describe así: «No llevan
más que un calzón y una camisa, el calzón muy
ajustado y la camisa, de fuera. Las dos piezas, tan
empapadas de sangre y grasa, que parecen de hule.
Una cintura de piel de buey con el pelo les aprieta
la camisa y en ella, por un lado una vaina con tres
o cuatro cuchillos como bayonetas, y por el otro
lado, una canaca.» Por su parte, Clark Russel, en
su obra sobre el pirata Dampier, corrobora la descripción de Labat, ampliando detalles sobre la gui-
sa de los bucaneros:

«A mediados del siglo xvii, la isla de Santo Domingo o Española, como se llamaba entonces, estaba invadida o infestada por una singular comunidad de salvajes: hombres fieros, insolentes y zarrapastrosos. Principalmente se componían de colonos franceses, cuyas filas se aumentaban, de
cuando en cuando, por la abundante contribución
de los suburbios y arrabales de más de una ciudad
europea. Esta gente andaba vestida con camisas y
pantalones de género ordinario que se empapaba
en la sangre de los animales que sacrificaban. Usa-
ban gorros redondos, zapatos o botas de piel de
cerdo y cinturones de cuero crudo, donde intro-
ducían sus sables y cuchillas. Se armaban también
de mosquetones, que lanzaban un par de balas de
a dos onzas cada una. Los sitios donde secaban y

salaban las carnes los llamaban «boucans» y de este término vino el nombre de bucaneros. Eran cazadores de oficio y salvajes por hábito. Perseguían y mataban ganado vacuno y traficaban con su carne, y su alimento favorito era el tuétano crudo de los huesos de las bestias que arcabuceaban; comían y dormían en el suelo; tenían por mesa una piedra; sus almohadas eran troncos de árboles y su techo era el cálido y rutilante cielo de las Antillas.»

La presencia de estos montaraces llega a hacerse incómoda para las autoridades de La Española; y al ser desalojados por una acción represiva se instalan en La Tortuga. Allí, los más sedentarios se dedican a cultivar mandioca o tabaco. Otros, se entregan a la pesca de la tortuga y los más, a la caza de animales silvestres.

La arribada de naves para hacer aguada o comprar vituallas, se hace cada vez más frecuente y serán sus tripulaciones quienes vayan propalando la noticia de aquella comunidad extraña de hombres que, en pleno siglo XVII, han retornado a una vida prehistórica, sin amo a quien servir ni Dios al que respetar.

Y la población fue creciendo. A engrosarla fueron hombres de todos los pelajes: franceses ex esclavos huidos de todo tipo de servidumbres: holandeses proscritos; desertores españoles; indios rebeldes al repartimiento y negros cimarrones, escapados de las plantaciones. Entre ellos se entienden gracias a una jerga a la que llaman «papiamento». Pero lo que más les une es ese lazo poderoso que es el resentimiento y el ansia de vivir libres. Su dominio de La Tortuga vuelve a despertar recelos en la gobernaduría de Santo Domingo. Una nueva expedición contra ellos, los obliga, otra vez, a evacuar la isla y refugiarse entre los bosques de la zona occidental de La Española. Allí se formará una comunidad de raza negra que, andando el tiempo, adquirirá personalidad con el nombre de Haití.

Entre danzas y contradanzas, ocupaciones y abandonos, los bucaneros terminan por asentarse definitivamente en La Tortuga. Los españoles ensayan una nueva arma de represalia: el bloqueo. Forzados por la necesidad de mantener el mercado para sus viandas, y al propio tiempo obligados a proveerse de los artículos que imprescindiblemente necesitan, no tendrán más remedio que hacerse a la mar burlando el cerco. Esta salida al mar abierto en canoas a vela será de importantísimas consecuencias. Unos bucaneros se acostumbrarán a la navegación y al pirateo y se transformarán en filibusteros, adulteración del *free-booter* inglés; y otros continuarán alternando la caza y la pesca y no dejarán de ser bucaneros aunque, ocasionalmente, hagan alguna correría marítima, asaltando poblados en busca de establos y porquerizas donde rapiñar animales que carnificar, sobre todo gorrinos, manjar predilecto de aquellos ariscos individuos.

Con el tiempo, la isla de La Tortuga adquiere predominio francés y hasta cuenta con un gobernador, un tal Le Vasseur cuya labor será de estímulo para que la isla se convierta en una espléndida gusanera de piratas, de hombres sin ley que atraídos por aquella forma de vida aprovecharán cualquier oportunidad para nutrir las tripulaciones filibusteras, cuando el auge de la piratería caribeña, o piratería pechelingue, que así se la denominará, apremie para alistarse en expediciones que aseguran la aventura y la riqueza.

Nace, pues, un filibusterismo antillano que actúa por su cuenta, que crece a expensas de sus propias presas y que empieza a incordiar el comercio interinsular. Entre los retoños iniciales de este brote pirático independiente, algunos han dejado su nombre escrito en los anales del bandidaje practicado en el mar de las Indias. Son Pedro Francisco, Rock el Brasileño, Bartolomé el Portugués y un francés de Dieppe, Pierre le Grand, quien destaca por lo sonado de un único golpe y por la cordura que demostró. Le Grand operaba con un barquichuelo de escaso porte hasta que, en una de sus navegaciones, avistó un galeón español, alteroso y bien armado. La cosa fue en el golfo de Urabá, aguas del cabo Tiburón, y Le Grand decidió esperar la noche e intentar lo quimérico. En plena nocturnidad, se arrimaron sigilosamente al navío y lo abordaron a la antigua usanza con picas y alfanjes. Le Grand y sus hombres treparon por la amura de babor, despacharon al centinela y mientras unos trincaban a la marinería, Le Grand se colaba pistolón en mano en la cámara de popa y maniataba a todos los presentes, capitán y demás, que en aquel momento estaban dándole al naipe. Otros entraban en la santabárbara y después de apoderarse de cuantas armas había, amenazaron con prender un barril de pólvora y volar el buque si no se les entregaba todo lo de valor. El botín fue copioso. Mientras se tenía a raya a los sorprendidos tripulantes, los más forzudos transbordaban cofres con joyas y dinero a su embarcación. Después huyeron sin que los desvalijados salieran de su asombro. El éxito fue completo. Y ahora viene lo de la cordura, porque cuando Le Grand repartió su parte del alijo a sus hombres, decidió que la suya era bastante para abandonar los azares del filibusterismo y marchar a su tierra donde pudo emprender una nueva vida, rico y feliz.

Llegó un momento en el que los bucaneros tomaron conciencia de su importancia y hasta en aquella ralea de rebeldes surgió el impulso de asociarse. Es el instante en que nace una de las más extrañas agrupaciones aparecidas desde que el hombre despertó al instinto social. Esta agrupación se llamó Confederación de los Hermanos de la Costa con capital, naturalmente, en la isla de La Tortuga.

El código de los Hermanos de la Costa era primario, brutal y equitativo, y perfilaba una especie de cooperativismo pirático y autogestionario. El primer punto de su reglamento era más claro que el agua: «No hay botín, no hay paga.» El holandés Exquemelin, antiguo bucanero que nos ha dejado el mejor libro sobre estos forbantes, detalla de este modo las peculiaridades organizativas de la Hermandad:

«Teniendo ya provisiones bastantes de carnes, se van con ellas a su navío donde, dos veces al día, distribuyen a cada uno tanto cuanto quiere sin peso ni medida. Ni de esto ni de otras cosas no debe el despensero dar al capitán mejor porción que al más ínfimo marinero. Estando el navío proveído de esta suerte, vuelven a juntar consejo para deliberar hacia qué parte cruzarán para buscar la arriesgada fortuna. Tienen por costumbre hacer ante ellos una escritura de contrato, en la cual especifican cuánto debe tener el capitán por su navío. Ponen y fundan en dicho escrito todo lo que llevan consigo para el viaje; de este montón sacan por provisión doscientos pesos, el salario del carpintero que hizo preparar el navío, el cual, de ordinario, importa cien o ciento cincuenta pesos, según el acuerdo, poco más o menos y el dinero para el cirujano y medicamentos que se suelen tasar en doscientos o doscientos cincuenta pesos.»

Viene después un apartado importante: las indemnizaciones a los lisiados o perniquebrados que resulten de la acción. Y Exquemelin expone el siguiente cuadro:

«Por pérdida del brazo derecho, 600 pesos o seis esclavos.

»Por pérdida del brazo izquierdo, 500 pesos o cinco esclavos.

»Por pérdida de la pierna derecha, 500 pesos o cinco esclavos.

»Por pérdida de la pierna izquierda, 400 pesos o cuatro esclavos.

»Por pérdida de un ojo, 100 pesos o un esclavo.

»Por pérdida de un dedo, 100 pesos o un esclavo.»

El resto del botín, se repartía así: capitán, cinco o seis partes; piloto, dos partes; otros oficiales, según su participación; marineros, una parte; grumetes, media parte.

El botín debía ser compartido y nadie podía ocultar algo en su exclusivo provecho. He aquí cómo lo explica Exquemelin:

«Tienen entre sí tales órdenes que, en las presas de los navíos, defienden con rigor el no usurpar nada para su particular; así, reparten todo lo que hallan igualmente. De tal suerte es, que hacen juramento solemne de no esconder la menor alhaja. Si después de esto cogen a alguno en infidelidad y contra el juramento, inmediatamente es desechado y separado de la congregación. Estas gentes son muy civiles entre ellos mismos; de suerte que si a alguno le falta algo de lo que otro tiene, con galantería le hace participante al otro.»

Este altruismo fraterno es el que hacía decir que los bucaneros actuaban «hermanados», de forma que cada uno se juramentaba con un compañero, antes de entrar en acción, y ambos se comprometían a cuidarse y defenderse mutuamente y si uno de ellos moría en el combate, el sobreviviente le heredaba. El juramento, como queda dicho, se prestaba a bordo y ante un Cristo resultante de una rapiña. El ceremonial era escueto y la exigencia firme, y aquel que en el fragor de la refriega abandonase a su «hermano» en peligro era ahorcado en sitio bien visible.

La originalidad del código es mucha. La escala

de indemnizaciones tuvo tal éxito que fue adoptada, con ligeras variantes, por todos los piratas. Su vigencia la hizo entroncar con el advenimiento de la era industrial y servir de base para mitigar los daños causados por las mordeduras del maquinismo en la anatomía humana.

Los bucaneros eran gente de temple resentido y avinagrado, pero a la hora de divertirse eran dadivosos y pródigos en tabernas y burdeles. Cuando una operación era saldada con éxito, largaban velas para Jamaica (que desde 1655 era posesión inglesa) y, más concretamente, para Port Royal, que se convirtió en lugar de relajación para los piratas que hacían un gran gasto de aguardiente de caña en sus noches locas. He aquí cómo el tan citado Exquemelin describe el comportamiento de los bucaneros en su feudo jamaicano:

«... llevaron a Jamaica [el botín] adonde llegaron con su gente y disiparon en bien poco tiempo su dinero [según sus costumbres ordinarias] en las tabernas y en lugares de prostitución con rameras. Algunos de ellos, gastan en una noche dos o tres mil pesos, y por la mañana se hallan sin camisa que sea buena, como uno de ellos al que yo vi dar a una meretriz quinientos reales de a ocho, sólo por verla una sola vez desnuda... Son muy liberales los piratas entre sí mismos; si alguno queda totalmente despojado de bienes, le hacen participar con franqueza de lo que tienen. Entre los taberneros tienen gran crédito, pero de los de Jamaica no se debe fiar mucho, sabiendo que los vecinos de esta isla se venden con facilidad los unos a los otros, como yo vi hacer con mi patrón, el cual habiéndose hallado con tres mil pesos dinero contante, en término de tres meses se halló tan pobre, que le vendieron por una deuda de taberna, taberna que era en la que había gastado la mayor parte de su caudal.»

Pero en su actuar, cuando llegaba el instante del asalto o de la captura, no ha habido horda ni turba que igualara en ferocidad a la canalla bucanera. Sus ataques eran rápidos y por sorpresa, amparados en botes ligeros y de fácil maniobra, capaces de escapar por los más estrechos canales. Sus cómplices eran muy numerosos pues, menos en las posesiones españolas, podían recalar en cualquier isla o islote. Para entonces, la mordedura de los perros del mar ingleses ya nos había sustraído Jamaica, Barbados, Antigua... Los franceses, Guadalupe y Martinica y los holandeses, Bonaire y Aruba. A todos estos puntos recurrían los filibusteros a revituallarse o refugiarse, para seguir asestando nuevos golpes.

Su norma era no hacer prisioneros, salvo aquellos siervos blancos que podían convertir en esclavos y otorgarlos en recompensa a las mutilaciones. Sus métodos para deshacerse de los prisioneros eran tales como azotarlos hasta la extenuación, embadurnarlos de miel y dejarlos abandonados en la selva. Los insectos gigantes hacían el resto. Otras veces, se los colgaba por las extremidades: la persona quedaba como una gigantesca araña pendiente de su tela. Ante su rostro se hacía arder una hoja de palma untada de aceite. De este modo, o confesaban todo lo confesable, o quedaban brutalmente quemados.

Llegó un momento en el que la importancia de los filibusteros fue tal, que llegaron a crear verdaderas flotillas que fueron auténtico flagelo para las comunicaciones y para las plazas españolas. Su crecimiento los envalentonó y de la captura de naves pasarían al ataque a ciudades dormidas.

La importancia de aquella plaga no escapó al juicio de nuestros rivales tradicionales, británicos, galos y flamencos. De aquí brotó la idea luminosa: convertirlos en instrumentos a su servicio y en daño de los españoles.

La figura que da el salto en el radio de acción en las felonías filibusteras es Jean David Nau, más conocido por *el Olonés* por su nacimiento en Sables-d'Olonne, en las viejas tierras vendeanas, a orilla del Atlántico. Nau arribó a la Martinica con antecedentes penales como esclavo blanco; y tal vez hubiera dejado allí sus huesos, trabajando en las vegas, de no haber dado muerte a un mayoral que le afeó su conducta atravesada y su porte desafiante. De allí pudo escapar a La Tortuga, de polizón. El ambiente no podía ser más propicio a un matasiete de tan malignas inclinaciones como él. Empieza a viajar como marinero y asimila los secretos de la navegación. Como es de carácter mandón, y firme en sus determinaciones, el gobernador de La Tortuga, La Place, le arrienda una nave. En sus primeras rapiñas revela una dureza que empieza a afamarle. Y como es ambicioso, se atreve a pasar del ataque a los navíos al asalto a las villas. Su primer objetivo es Campeche, pero se lo malogra una terrible borrasca que le deja al garete y da con su barco en unos escollos. Él y su gente salen del naufragio para ser batidos por unos españoles armados, que los están esperando desde la costa. La refriega es enconada y quedan muchos piratas sobre el campo. Confundido entre los muertos está *el Olonés*, malherido de un arcabuzazo. Dice su biógrafo Le Marquand, que fue dejado por muerto, porque el alférez español que lo examinó «no conociendo el olor de la flor de pato que exalta en la noche, creyó que *el Olonés* olía ya mal».

Los recursos del pirata eran muchos, tantos como los de aquellos que desde muy pequeños han tenido que bregar para sobrevivir. Tan es así, que cauteriza sus heridas con salitre y con la ayuda de unos negros —nunca faltaban complicidades entre la esclavitud— se disfraza, se finge pescador español y usando de todos los ardides consigue llegar a La Tortuga. Su siguiente salida es con rumbo a la costa cubana. Pasa meses al acecho, robando y matando pescadores, en espera de una presa que valiera la pena. Y la espera dio su fruto. Emulando a Le Grand, entró al abordaje en una fragata española. Y en aquel trance, *el Olonés* dio la medida de su sanguinaria y bestial catadura. Encerrados los españoles en la cala, los hizo subir a cubierta, de uno en uno, y los fue decapitando con sus propias manos, cambiando el sable cuando el desgaste iba mellando su filo. Con la fragata en su poder, las presas fueron cayendo: una nave cargada de cacao, otra de palo de campeche, una tercera, con índigo y maderas... Así hasta ocho. Era la más grande flota filibustera vista en el Caribe.

Con esta armada, *el Olonés* pensó en una acción nunca vista: el ataque a una villa cuyas riquezas, al decir de los filibusteros, eran fabulosas: Maracaibo.

Cuando *el Olonés* va al asalto de Maracaibo, las comunidades hispánicas registraban los cambios acaecidos y sedimentados en un siglo de presencia. Los primeros pobladores, con sus encomiendas y concesiones en bienes raíces, constituían la clase de los privilegiados. Después venían los rezagados, a los que llamaron «chapetones» por oposición a los «baqueanos», avecindados con anterioridad. Como dice Lino Novás Calvo: «La hacienda era de los privilegiados o de los que habían tenido el privilegio de conquistarla. Estos españoles rezagados llegaron, en algunos casos, a levantar motines y alimentar guerras civiles: los hubo desesperados, alacranados, traidores, rebeldes. De ellos dejan relación las historias. A lo que éstas apenas se refieren es a los rezagados que sin llegar al motín favorecieron por despecho, por resentimiento, por envidia o por necesidad, a los piratas, y así, a la sombra de ellos y con peligro de la propia vida, auxiliaban a los invasores contra los grandes comerciantes y hacendados. Eran los del río revuelto; pero los rezagados españoles solían ser mal pagados por los adelantados de la "filibuste".»

La escuadra del *Olonés*, con más de mil truhanes sedientos de presa, cayó sobre Maracaibo como una plaga exterminadora. Y entró a saco. Las gentes huían hacia la foresta o al vecino Gibraltar donde había un fortín y una compañía de mosqueteros. Todo fue inútil ante la furia de los filibusteros. Pero no todos podían escapar con presteza y siempre quedaba alguien a quien aplicar tormento y hacerle delatar riquezas. A un resistente, *el Olonés* lo hizo rebanadas con su alfanje. También quedaba algún español de los rezagados que se prestaba a denunciar a un compatriota enriquecido. Casas, mansiones y entidades fueron desvalijadas y era de ver la procesión de villanos acarreando bandejas, candelabros, cubiertos de plata y argentería hacia las naves que habían echado el áncora a la entrada de la laguna.

A los prisioneros, se los encerró en la iglesia y se los abandonó a que fueran muriendo de hambre. Las mujeres, para evitarlo, se daban a la lujuria de los asaltantes.

Los barcos del pirata se lastraron de oro, los cofres se llenaron de piastras y las cautivas se repartieron como botín entre pantagruélicas comilonas. Después marcharon sobre Gibraltar atravesando ciénagas plagadas de mosquitos y senderos infestados de culebras. A los guías, que a la fuerza conducían a la tropa, no se les perdonaba un yerro: se les colgaba quedando como jalón para solventar futuras equivocaciones. Gibraltar ardió por los cuatro costados. El poblado fue incapaz de pagar el tributo impuesto alevosamente por el bandido.

Cerca de dos meses duró la infamia de Maracaibo por la tribu filibustera. Cuando levaron anclas y perdieron de vista la malaventurada ciudad, no quedaba más que el hedor de los cadáveres, los enjambres de mosquitos y las bandadas de alcatraces. Eso sí: a un filibustero al que se le halló una esmeralda oculta, sustraída al fondo común, lo colgaron de una verga de la almiranta.

De regreso a La Tortuga, *el Olonés* fue festejado como un héroe. Estaba en el auge de su más siniestra aureola.

Los piratas, cumplido su contrato, se dispersaron a despilfarrar su parte. Taberneros y coimas fueron los beneficiarios. Pero *el Olonés* no dejó de acusar un cambio en la colonia. Según Lino Novás Calvo, «el nuevo gobernador M. Ogeron había trasformado la isla, de dominio y factoría piráticos, en colonia agrícola de gente apacible y sedentaria. Acababa de recibir de Francia un lote de cincuenta mujeres para casarlas con filibusteros y crear así las primeras familias francesas en "las islas de América"». Las había vendido en pública subasta, en la plaza del mercado, y los nuevos colonos las compraron como se compraban las esclavas negras, «sin preguntarles por su pasado pero amenazándolas con tomar venganza si en el futuro les eran infieles». Con esto se había puesto la primera piedra a la trata de blancas...

Al *Olonés* no le satisfizo nada el ver convertida la isla en predio de granjeros dedicados a cultivar cazabe o recolectar ananás. Y puso rumbo a Jamaica, a Port Royal, donde el ambiente depravado era propicio a los festines, a las timbas y a las negras, aunque las de mayor cotización eran las mulatas traídas de Cuba. La cerveza se consumía por galones y en cuanto al «rhum» o ron, aquel gran descubrimiento de la sabia destilación de la caña, empezaba a hacer estragos. Entre vapores de borrachera, se daba rienda suelta a las mayores gamberradas. Como cuenta el biógrafo del *Olonés*, «no

Castilla y Portugal rubricaban en 1494
y en Tordesillas la bula del papa
Alejandro VI estableciendo la línea
equinoccial o de demarcación
(en el grabado) que les permitía
repartirse el Nuevo Mundo.
Con lo cual hubo recelo y envidia
en otras Cortes cristianas.

Durante el reinado de Isabel I
(en el grabado) la piratería creció
esplendorosamente. Para ello bastaba
otorgar la correspondiente patente,
o dar a la piratería un estatuto
semilegal. Para lo cual lo más seguro
era hacer partícipes de sus beneficios
a personalidades influyentes.

El cartógrafo florentino Américo Vespucio (así representado
en el mapa de Waldseemüller), ora al servicio de España,
ora al de Portugal, llega hasta las pequeñas Antillas en 1499.
Su paso es tan duradero que hasta da nombre al nuevo continente.

Así, **John Hawkins** (en la imagen), **hijo de William Hawkins, armador y navegante que ha abierto rutas con Guinea y el Brasil, ve el cielo abierto para competir en el mercado negro del Caribe.**

En abril de 1581 Drake era armado caballero por la reina Isabel en el mismo escenario de sus glorias: la cubierta del «Golden Hind». Después contraerá matrimonio con una rica heredera.

Los éxitos de Drake en Cádiz y el Caribe le animan a proponer una expedición punitiva contra La Coruña. Pero la ciudad gallega se pone en pie de guerra y hay una mujer llamada María Pita (en el grabado) **que se convierte en heroína. El inglés tiene que batirse en retirada.**

La expedición de Walter Raleigh (en la imagen) aborda el Caribe a la altura de la isla de Trinidad. Allí saquea una ciudad inerme y secuestra al gobernador español, Berrio. Después, lo sienta en su mesa, lo agasaja y mientras navegan hacia la Guayana le pide información sobre El Dorado, su obsesión.

«Raras veces en mi vida he visto una mujer mejor formada —escribirá Raleigh a propósito de una belleza de la Guayana parecida a la del grabado—. Era de más que regular estatura, ojos negros, buenas carnes y excelente porte.»

Tras salir de prisión, y ya con 62 años, Raleigh parte hacia el Orinoco. Comoquiera que Francis Bacon (en el grabado) le objete que su plan es un acto de piratería, le contestará con profunda filosofía: «¿Cuándo habéis visto que se califique a nadie de pirata por robar millones? Sólo aquellos que se ensucian por cosas menudas son piratas.»

En página siguiente, a la izquierda:
Morgan decidió atacar Puerto Príncipe (a la derecha), **que se rindió. Todas las riquezas de la ciudad pasaron a su poder tras el correspondiente pillaje. No sin que a los hombres se les diera tormento y las mujeres fueran trasladadas a las mancebías de Port-Royal.**

«A mediados del siglo XVII —escribe el historiador Labat— **la isla de Santo Domingo estaba infestada por una comunidad de hombres fieros, insolentes y zarrapastrosos. Los sitios donde secaban y salaban las carnes los llamaban "boucans", y de este término vino el nombre de bucaneros.»** (Portada de un libro sobre el tema publicado en la mitad del siglo XVIII.)

FRANCIS LOLONOIS.

La escuadra del «Olonés», con más de mil truhanes sedientos de presa, cayó sobre Maracaibo como una plaga exterminadora. Ante la furia de los filibusteros toda resistencia fue inútil. Lo cierto es que el flameo de la calavera con dos tibias cruzadas fue, en su tiempo, una visión que helaba la sangre de viajeros y tripulantes. (Arriba y a la izquierda.)

Al término de la barbarie, Morgan y sus secuaces pusieron rumbo a la isla de los Pinos. Allí se hizo el reparto de los beneficios, acaparando Morgan cuantiosos bienes y la sempiterna idolatría de sus hombres.

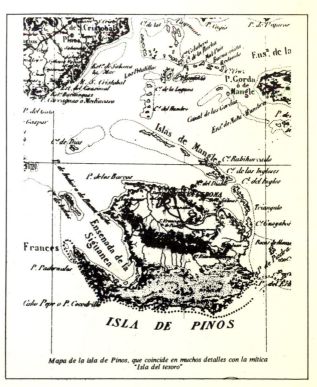

Mapa de la isla de Pinos, que coincide en muchos detalles con la mítica "Isla del tesoro"

Entre los personajes que formaron
la última generación filibustera
los hubo con gran notoriedad. Uno de ellos
fue William Dampier (en el grabado),
quien, en su primera navegación con
capitanía y de rapiña en rapiña,
llegó hasta la costa de Australia.

El marinero Selkirk quedó perdido
en un paraje volcánico sin más defensa
que su propia capacidad para
sobrevivir. Este hombre, que se había
aclimatado al mayor primitivismo,
fue rescatado para la civilización
y su odisea inmortalizada por Daniel
Defoe en su «Robinson Crusoe»
(que aparece aquí salvando
a su fiel criado Viernes).

El origen de la
notoriedad del capitán
William Kidd
(en la imagen, «affiche»
del filme mudo del
mismo título
protagonizado por
Eddie Polo) se produce
cuando las
extralimitaciones
de los piratas exigen
medidas «legales»
para combatirlas.

Era el 17 de noviembre de 1718 cuando se produjo, en aguas de Carolina del Norte, el encuentro entre los hombres de «Barbanegra» y el teniente Maynard. El abordaje fue terrible y la lucha entre ambos encarnizada, cuerpo a cuerpo y al arma blanca.

Avanzado el siglo XVIII sobreviene un episodio revelador del atractivo que llegó a alcanzar la actividad pirática: la existencia de dos mujeres, Mary Read y Anne Bonney (de izquierda a derecha), entregadas a la barahúnda de los asaltos y saqueos propios de tal menester.

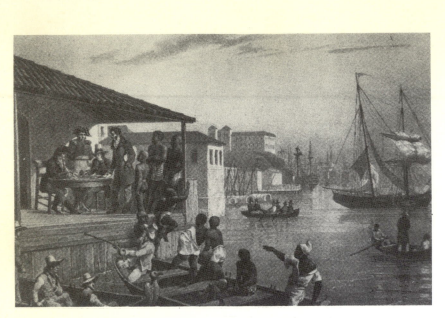

Con el paso del tiempo los piratas tuvieron un nuevo campo
de operaciones en las costas de África. Su objetivo fueron
los barcos negreros, pues la demanda de esclavos en América estaba
lejos de decrecer ante las exigencias de cafetales y tabacales.

En este marco, la española guerra de la Independencia al fondo, aparece una figura destinada a la leyenda. Se llama Jean Lafitte (a
la izquierda), más conocido como «el gentilhombre de la piratería». Lafitte llegará a co-
dearse (a la derecha), con el general Jackson
y el mismo gobernador de Nueva Orleans,
antes de que desaparezca en el año 1812.

sabiendo qué inventar, se apoderaron un día de las sillas de mano reservadas a las "damas" de la isla y se hicieron transportar por negros, con una escolta de lacayos que llevaban cirios encendidos en candelabros. En cada taberna se detenían a beber y continuaban la procesión. Para dar más aliciente a la pantomima, a una de las tabernas le prendieron fuego, entregándose después a una danza frenética en torno a la hoguera».

Cuando se agotaban los caudales, había que ir a buscarlos de nuevo al inextinguible fondo que eran las villas españolas.

La nueva salida del *Olonés* es con destino a Cuba. Pero la suerte no le acompaña. Las grímpolas no marcan el sentido de los vientos que fuera favorable a sus designios. En su rolar lo conducen, nada menos, que a Puerto Cabello. Pero allí no hay tesoros. Y viene lo de siempre: las torturas. Una delación orienta tierra adentro, hacia San Pedro. Pero no da con la senda apropiada y no hay nadie que se la quiera mostrar. Entonces, *el Olonés* encolerizado, energuménico, tiene un arranque de caníbal. Según cuenta Exquemelin —textualmente— «agarró a uno de los españoles y con su alfanje le abrió toda la parte anterior, arrancándole el corazón con sus sacrílegas manos y lo mordió con sus propios dientes diciendo a los otros: "Yo os haré lo mismo si no me descubrís otro camino"».

Quince días permaneció el pirata en San Pedro. A su marcha quedó el rastro de una carnicería inútil y un rosario de muertos sin sepultura.

Aquello marcó el orto de su salvajismo y el ocaso de su estrella.

Después se hizo notar en Guatemala, robando indias núbiles, degollando niños, torturando siempre, obsesionado por un botín evanescente. Y como el fracaso es un mal compañero de los capitanes filibusteros, la gente empezó a desertar, los «hermanos» de la cofradía ignoraron el contrato que los ligaba a un hombre abandonado por la fortuna. Los motines se sucedieron y, para cortar la racha, *el Olonés* hizo su última promesa: ¡a por el oro de Nicaragua!

El hallazgo de un práctico, conocedor de las costas, marcó el rumbo en la carta de navegar. Aquél iba a ser el último viaje del filibustero, aunque él lo ignoraba. El plan de la tripulación, confabulada, era dejarlo abandonado para librarse del mal agüero. Y así lo hicieron.

Jean David Nau, llamado *el Olonés*, quedó solo, perdido en la selva, comiendo sabandijas, desahuciado por unos hombres insensibles a sus gritos de desesperación. Lo peor fueron sus noches, cargadas de rumores extraños, de rugidos de alimañas. Cuando al fin dan con él unos indios, *el Olonés* se cree salvado. Craso error, porque aquellos indígenas eran flecheros y tras de supliciarlo como a un san Sebastián, le redujeron la cabeza al tamaño de una naranja.

Capítulo VI

LOS BANDIDOS EMPIEZAN A DISTINGUIRSE POR LA BANDERA NEGRA

Al llegar a este punto de la narración, que nos sitúa en el último tercio del siglo XVII, hay que registrar un nuevo aspecto en el desarrollo de la piratería: la aparición del pirata que actúa por su cuenta y riesgo, sin disfraz de corsario amparado por una potencia, ni hermanado en cofradía bucanera alguna. La divulgación del provecho logrado por las acciones piráticas y filibusteras y el incremento del tráfico con las Indias fueron estímulos suficientes para que la gente de mar se confabulara y, tras apoderarse de una nave y elegir capitán, se aventuraran al atraco en alta mar, trabajando por libre y a sus expensas. Al modo de los salteadores de caminos legendarios como Cartouche, Serrallonga o Dick Turpin, buen número de hombres titulados de piratas llenaron con sus acciones páginas enteras de la historia del bandidaje marítimo. A ellos, a su origen, a sus reglas y organización, vamos a dedicar este capítulo haciendo un alto en la cronología de este relato que nos obligaría a hablar de Morgan, el máximo depredador de las Antillas. Tras las cafrerías del *Olonés*, preferimos dar una tregua al lector antes de narrar las atrocidades de Morgan, el hombre que llevó el filibusterismo hasta sus últimas consecuencias. A él dedicaremos el próximo capítulo.

Los hombres que se sintieron tentados por un tipo de vida en el que la satisfacción de la codicia iba unida al riesgo y la aventura de la vida en el mar, procedían en su gran mayoría de las tripulaciones de los barcos mercantes o eran desertores de la Marina Real británica. Para los primeros, su conversión en piratas solía seguir el procedimiento de amotinarse, dar muerte al capitán y hacerse los amos del barco; o bien, ser apresados por los piratas y pasarse después a las filas de sus aprehensores, siempre deseosos de hacer prosélitos ante las ventajas de la nueva vida. Para los que procedían de la Armada, el salario escaso y la rígida y dura disciplina eran motivos que impelían a la deserción. En la piratería, la disciplina tampoco era laxa, pero el incentivo era extraordinario.

Durante los siglos XVI, XVII y XVIII, la generalización de la servidumbre, la pervivencia del sistema feudal y la continua sucesión de guerras crearon unas condiciones muy propensas a la proliferación del delito, de la delincuencia. Los desheredados buscaron el expeditivo camino de la criminalidad para huir de la miseria ambiente y de la supeditación sin esperanza. Por otra parte, el espejismo de las Indias y sus riquezas era acicate más que sobrado para arriesgarse a participar en el festín, aunque fuera por las vías ilícitas. Y también esto ofrecía su coartada porque, ¡diantre!, ¿no eran los tesoros de las Indias algo sustraído a sus legítimos propietarios, las tribus del Nuevo Mundo?

El capitán Bartholomew Roberts, famosísimo pirata del siglo XVIII, definía perfectamente cuál era la razón que empujaba a los hombres a vivir al margen de la ley. Sus palabras, al cabo de casi tres siglos, suenan con una actualidad sorprendente. Decía Roberts: «En un trabajo honrado, lo corriente es trabajar mucho y ganar poco; la vida del pirata, en cambio, es plenitud y saciedad, placer y fortuna, libertad y poder.»

El mayor perjuicio a la piratería se lo producía la existencia de guerras entre dos o más potencias. Como es natural, las conflagraciones legalizaban las actividades de los piratas y corsarios, toda vez que las acciones de ambos quedaban automáticamente englobadas en el marco general de las operaciones. Eran, entonces, malos tiempos para el bandidaje marítimo, pues los corsarios se veían obligados a acatar las leyes de la guerra y los piratas no tenían más remedio que someterse a la disciplina de la Armada, realizando las mismas acciones, pero sin independencia y con escasísimo lucro. Cuando llegaba el cese de las hostilidades, con su secuela de inadaptados y con el hábito de guerrear afincado en gran cantidad de individuos, el corso y la piratería atravesaban momentos esplendorosos y gentes muy bien entrenadas se disputaban por engrosar las listas de embarque. Un dato concreto apoyará la tesis: desde 1697, en que se firmó el Tratado de Ryswick, acuerdo concluido por Francia con las Provincias Unidas, Inglaterra y España, hasta 1701 en que empezó la Guerra de Sucesión española, Inglaterra se mantuvo en paz. Pues bien, durante este breve período la piratería británica conoció un auge superior al de los tiempos isabelinos.

Ciertamente, para convertirse en capitán pirata y ser aceptado como mandamás por una partida de tunantes, hacía falta estar en posesión de muy especiales cualidades. Era imprescindible ser un avezado navegante, capaz de sacar el mejor partido de cualquier embarcación, incluso de las menos marineras. Era preciso poseer un carácter presto a imponerse a tripulaciones indómitas, tanto en la euforia de los éxitos como en las fases de desaliento, cuando una calma chicha inmovilizaba o cuando, tras inacabables singladuras, no se perfilaba presa alguna en lontananza. Había que ser categórico e inapelable en el reparto de las capturas, ateniéndose al código establecido y saber cortar de raíz todo conato de insubordinación. Había que tener también dotes estratégicas para el combate naval y olfato fino para las presas que venía dado por el conocimiento de las rutas más frecuentadas. Y tener mucha sagacidad para desprenderse a tiempo y en lugares seguros de los productos del saqueo. Un capitán pirata, sin protecciones corsarias ni cofradías filibusteras, debía estar preparado por sí solo para hacer frente a todas las eventualidades de la guerra en el mar, con capacidad para la maniobra, perfecta manutención de su nave y disciplina en sus hombres.

El desempeño de esta responsabilidad estaba respaldado por el sufragio de la tripulación, porque el acaudillamiento de una dotación pirata no era, generalmente, por golpe de fuerza del capitoste ni por encabezamiento fortuito, fruto de una acción audaz y afortunada. Normalmente, el jefe de los piratas era elegido por votación entre los tripulantes y debía responder ante ellos del curso de las operaciones. Este democrático procedimiento exigía mucho al líder y en ningún caso daba seguridades vitalicias en la ostentación del mando. Un detalle de incompetencia, un fracaso sonado, eran motivos suficientes para que la votación de los tripulantes dispusiera la sustitución. Y si por acaso se daba un empeño en seguir ostentando el mando sin justificar merecimientos, lo más probable fuera ir al amotinamiento y que el contumaz terminara balanceándose colgado por el cuello en lo alto de una verga. Los relatos sobre la piratería han presentado a muchos capitanes con los trazos del tirano y del déspota. Y, efectivamente, hubo muchos que reunieron tales estigmas. Pero si esto no iba acompañado del éxito y del botín era razón de más para entregarlo a la más expeditiva de las justicias. Un pirata llamado Walter Kennedy, que fue ahorcado en Wapping en 1721, declaró ante el tribunal encargado de pedirle cuenta de sus actos: «Ellos escogen un capitán entre todos, quien ostenta el título con muy pocas atribuciones excepto en los combates, en los cuales manda absolutamente y sin control alguno. Y si fallas, son libres de poder escoger otro en quien vean las dotes suficientes.»

El mayor distingo cuantitativo entre el capitán y el resto de la tripulación lo proporcionaba su parte preferente en el reparto del botín. Tras el mandamás, se situaba el *quatermaster*, especie de comisario general de a bordo y que igual se ocupaba de la salvaguarda del botín que del cuidado de las provisiones o del mantenimiento de la disciplina, para lo cual lo mismo podía actuar de amigable componedor entre dos enemistados o administrar unos vergajazos al desobediente; siempre con el asentimiento de la totalidad de la tripulación. Otros cargos incluían al nostramo con experiencia en navegación y a cuyo cuidado estaba el estado de palos, velas, vergas y jarcias. El artillero era el responsable del buen cuidado de los cañones y de la munición, así como de la vigilancia de la armería. Y por último, el «cirujano», ducho en cauterizaciones al rojo vivo y al que se le atribuía la responsabilidad en tantas patas de palo y tantos garfios como han ilustrado la iconografía de los piratas. Cocinero y marmitón cuidaban de la cecina y de los ahumados, como dieta que se alternaba con el abadejo y demás pescado fresco, capturado en momentos de bonanza.

Este cuadro propicia el reconocimiento de que el pirata reunía muchos de los requisitos necesarios para considerarse un hombre libre: podía elegir a aquel que había de mandarle y era dueño de deponerle si al juicio general no reunía las condiciones requeridas: tenía una participación directa en los beneficios de la empresa y se sentía seguro bajo el sol, con esa seguridad primitiva que da el ir armado y el saber que la ley pirática autoriza a apoderarse de los bienes ajenos. Tenía, finalmente, esa sensación de libertad que proporciona el vivir de cara al horizonte, con largueza de miras y bajo la permanente sugestión del mar.

La contrapartida a estos aspectos sugestivos residía en la dureza impuesta por la vida en los veleros de aquellos tiempos. El estar a merced de los vientos, alternaba la lucha con las más desatadas galernas, con los períodos de la más completa inmovilidad, cuando no se movía un elemento. El trabajo a bordo era permanente, tensando las drizas, apretando los estays, arreglando las lonas estropeadas, achicando el agua embarcada o reforzando los cabrestantes. El dormir en litera quedaba para el capitán y sus segundos. El resto, se tumbaba en coys, en petates o esteras allí donde hubiera un sitio seco y a resguardo. En el ámbito, rodeado de maderamen rejuntado con pez y alquitrán por todas partes que era la propia embarcación, el peligro de incendio era perenne y con fuego a bordo sólo quedaba gritar el ¡sálvese el que pueda! Por este riesgo, el fogón de la cocina se emplazaba sobre piedras, aislándolo de la tablazón y rodeándolo con un enladrillado. Y luego estaban las reparaciones en plena navegación o en medio de una tormenta, en las que había riesgo de vida haciendo la cucaña sobre el bauprés o subiendo a la mesana o al trinquete, aguantando los pantocazos de una mar muy arbolada, hasta ponerse a la capa.

Como es bien sabido, el porte de aquellas naves era reducido. La construcción, exclusivamente a base de madera, limitaba el desplazamiento; el tonelaje venía constreñido por las medidas de la eslora que no podía tener mucha largura por la elasticidad de la estructura, problema que se resolvería más adelante con la introducción en los astilleros del fleje de hierro como nervio de cuadernas y yugos.

En estas circunstancias, los barcos estaban a merced de un «baile» continuo y los riesgos del «mal de mar» no perdonaban ni al más curtido de aquellos mareantes.

La mentalidad de estos hombres era extraña y multiforme. Había tipos como el capitán Roberts, gentilhombre galante cuya devoción y respeto a la mujer fueron proverbiales en todas las acciones en cuyo botín habían damas. Otros, como el capitán Daniel, que raptó a un sacerdote para que dijera misa en su barco, y al observar la actitud irreverente de uno de sus hombres, le disparó un pistoletazo. Otros, como el capitán Misson, llegaron a crear un estado pirata en el que los postulados de libertad, igualdad y fraternidad se hicieron efectivos, medio siglo antes de la Revolución francesa.

El tipo de vida independiente despertaba en los piratas un decidido afán de proselitismo, como ya hemos insinuado. Tras una captura, la primera demanda después del expolio, naturalmente, era invitar a los apresados, marineros y tripulantes, a seguir la vida aventurera de los saqueadores. Aunque hubo piratas de toda laya y no faltaron los sanguinarios dados a la contumelia como Barbanegra, no todos se dedicaban a matar a mansalva a sus cautivos. Antiguas litografías representando a un desgraciado sometido al tormento de ser deslizado por un plano inclinado hacia el mar desde la borda del navío, mientras un pirata desde una lancha se ensaña a hachazos sobre el cuerpo que emerge de las aguas, no expone una práctica divulgada. Casos de ferocidad aislada y hasta monstruosa no pueden desvirtuar la tónica general de los piratas que actuaban por su cuenta, cuya costumbre era respetar la vida de sus cautivos para especular con su rescate.

La rabia la reservaban para defenderse de los ataques de las naves de guerra que estaban en su persecución. Entonces surgía la imagen típica del forbante con botas, calzas, camisa, pañuelo a la jamaicana, cuchillo entre los dientes, sable en ristre y pistolón en la faja, dispuesto a vender cara su piel.

Para los capitanes, esta existencia en libertad alcanzaba límites pletóricos en sus aspectos marineros porque la época áurea de la piratería coincidió con la de los grandes veleros, y nada más gozoso para un hombre de mar que tener bajo su mando uno de aquellos espléndidos navíos que crearon la etapa más decorativa y nostálgica de la navegación. El siglo xvii y el xviii vieron el auge de una gama de barcos de vela, corbetas, fragatas, bergantines y goletas, ampulosas embarcaciones que, desde la roda al codaste, eran una obra maestra de los carpinteros de ribera. Con sus tres o cuatro mástiles, con su intrincado aparejo y con sus trapos triangulares o cuadrangulares, daban una superficie vélica capaz de aprisionar a Eolo. Eran los tiempos en los que la aplicación de las maderas nobles coloniales abarrotaba la construcción naval. Caobas, tecas, guayacanes eran los materiales con los que los artesanos de Plymouth, de Nantes o de Cádiz decoraban aquellas obras de arte flotantes, desde los impresionantes mascarones de proa hasta el primor recargado de las cámaras y de los artesonados de popa. Aquellos albatros, con todas sus velas desplegadas, se deslizaban literalmente sobre la superficie de las olas.

La organización pirática, asentada sobre unas bases democráticas, propendía —como acontece a menudo en tierra firme— a degenerar en anarquía. Nunca faltaba un descontento o un díscolo que minaba la avenencia, propagaba el encono o incitaba al motín. Las más de las veces, unos latigazos propinados haciéndole correr la crujía al feróstico, hacían volver a la normalidad y la ley pirática, que encerraba un articulado al que debía atenerse todo el que marinaba, se imponía contundentemente. El sistema de votación resolvía cualquier diferencia sustancial y la mayoría imponía indefectiblemente su criterio. El rigor de la ley vigente entre aquella gente de mala vida, se aplicaba en toda su extensión a los ladrones y asesinos de sus propios compañeros, así como a los delatores que revelaban información sobre las andanzas del buque. Aquellos que desertaban y denunciaban a sus antiguos compinches eran perseguidos implacablemente. A los soplones que eran capturados, se les aplicaba el *marooning* que consistía en abandonarlos en una isla desierta dejándoles por toda provisión una botella de agua, una de pólvora y un arma. A veces, a imitación del famoso Robinson Crusoe, lograban sobrevivir, pero la mayoría de las veces acababan pereciendo. Algunos piratas con resabios filibusteros, imponían a asesinos y delatores un castigo muy en boga entonces y que consistía en cortarles nariz y orejas. Y, por supuesto, el peso de la ley caía igualmente sobre los que burlando el prorrateo establecido para el equitativo reparto del botín, hurtaban, en su propio beneficio, alguna valiosa pieza de lo capturado.

Como es obvio, la presencia de mujeres en un barco pirata era factor de considerable perturbación. Su efecto sobre aquellos lobos marinos, exaltados tras la tensión de la lucha y después de largos días enmarados sin hembras a su alcance, era realmente arrebatador. Pero surge aquí uno de los puntos más curiosos, revelador de a qué grado de organización y regulación habían llegado los piratas, como si el imperativo de mantener la disciplina, capaz de preservar la unidad de la tropa, se antepusiera a toda consideración, por muy justificable que fuera. Vale la pena de reproducir en su integridad las ordenanzas del capitán Phillip —una de las más completas promulgadas por un hombre de presa— en las que se incluye el apartado tocante al trato con las mujeres apresadas:

«1.º Todo hombre deberá obedecer el mando interior; el capitán percibirá una parte y media del botín; el patrón, carpintero, contramaestre y condestable, tendrán una parte y cuarta.

»2.º Todo hombre que deserte u oculte algún secreto con la tripulación, será abandonado en una playa desierta con una botella de pólvora, una botella de agua y un arma pequeña con un solo tiro.

»3.º Todo hombre que robe algún objeto dentro de la cofradía o juegue más de una moneda de a ocho, será expulsado del barco o herido de bala.

»4.º Si en cualquier momento ocurre que tropezamos con otro expulsado [que sea pirata] y uno de nuestros hombres lo protegiera sin el consentimiento de la tripulación, tal hombre sufrirá el castigo que la tripulación y el capitán crean más justo.

»5.º Todo hombre que pegue a otro mientras estos artículos estén en vigor será castigado mediante la ley de Moisés [esto es, 40 azotes de rebenque menos uno, en las espaldas desnudas].

»6.º Todo hombre que dispare sus armas o fume tabaco en la bodega del barco, sin poner un casquete en la pipa o que lleve consigo una vela encendida sin linterna, recibirá el mismo castigo del anterior artículo.

»7.º Todo hombre que no cuide de sus armas y no las tenga listas en el momento del combate o se muestre remolón, se le descontará de su parte y se hallará sujeto a un castigo.

»8.º Todo hombre que durante un combate sufra una desgarradura importante, percibirá 400 monedas de a ocho; si pierde un miembro del cuerpo, percibirá 800.

»9.º Todo hombre que al encontrarse con una mujer honrada le hiciere proposiciones deshonestas, sin ella consentírselo, será condenado a muerte.»

Por su parte, el capitán Snelgrave, otro famoso de la piratería, tenía como una de las reglas primordiales para evitar tumultos el poner bajo custodia a todas las damas apresadas. En lo que respecta al comportamiento de los capitanes, más de uno intentó usar de sus privilegios para acaparar alguna señora apetitosa, brindándole cobijo en su cámara, fuera de las miradas de la dotación y reservándosela para disfrute personal. Más de una vez, la igualdad ante la ley pirata solía acarrear la fulminante destitución del rijoso, aunque hubo algunos como Barbanegra o Rackam que se mofaron de la igualdad de oportunidades e hicieron valer su jerarquía con las peores amenazas. En orden a dar expansión y licencia a la tripulación tras un largo periplo, los capitanes solían recalar en puertos donde se hacía la vista gorda a la condición de la nave y, en tanto que se ensebaba o se daba una capa de galipote al casco, se dejaba tiempo libre a los hombres para holgar a su antojo y entregarse a las cuchipandas habituales.

Philip Gosse explica así cuáles eran los entretenimientos de los piratas en sus momentos de asueto: «Cuando los piratas no se hallaban ocupados robando dinero en el mar o disipándolo en la costa, no era raro observarlos dedicados a los pasatiempos más inocentes. Algunas veces solían cantar y bailar unos con otros o hacían payasadas;

pero entre todos los divertimientos preferían el de simular juicios en los que cada pirata lo mismo hacía de juez que de prisionero. Éste era, en cierto modo, un juego bastante desagradable, pues lo más probable era que muchos de ellos cayeran, tarde o temprano, en manos de la justicia.»

El más temible azote de los piratas era el alcohol. El hábito de beber era inveterado. Aquellos rones donde parecía haberse quintaesenciado el jugo de las cañas jamaicanas; aquellas ginebras de Holanda, con toda la bravura aromada del enebro; aquellas cervezas de Irlanda de espuma cremosa cuya fortaleza hubiera hecho temblar al propio Gambrinus; aquellos ajenjos secos y cáusticos, capaces de resucitar a un difunto, eran los culpables de que, muchas veces, un barco pirata atacado por otra nave se viera incapacitado para defenderse. Según los relatos de los cronistas de la piratería, el trasiego licoroso era algo descomunal. Y más de un amotinamiento tuvo por causa el agotamiento de los bocoyes de cerveza previstos para mitigar durante el crucero la insondable sed de la tripulación. Documento demostrativo de que la disponibilidad de bebida era algo imprescindible es este fragmento del diario de a bordo del capitán Teach, alias Barbanegra: «1718. El ron, agotado. La tripulación un poco sobria. Una maldita confusión entre nosotros. Síntomas de motín. Todo el mundo habla de separarse. Yo pongo toda mi urgencia en cazar botín... Por fin saqueamos un barco con un gran cargamento de licor; de este modo la tripulación ha entrado en calor; están borrachos; las cosas han vuelto otra vez a su cauce.»

Se cuenta también que el capitán Swan, pirata que ejerció su oficio con brillantez a lo largo del siglo XVII, regresó de vacío tras una larga navegación y sin haber hecho ni una sola presa debido a que, durante todo el viaje, sus hombres habían sido incapaces de tenerse de pie, en el más completo estado de embriaguez.

En tanto y cuanto la actividad pirática se había desenvuelto amparada por una patente otorgada por un país determinado, la bandera o enseña que flameaba era la del país protector. Al iniciarse la piratería por iniciativa privada y sin protectorado alguno, ciertos raqueros enarbolaban un gallardete o gallardetón en el que inscribían distintivos particulares. Pero un día del año 1700, el capitán del *Poole*, balandra de la Armada Real inglesa, avistó en aguas de Santiago de Cuba un *sloop* que iba comandado por el pirata francés Emanuel Wynne quien, al divisar al barco inglés, izó un pabellón negro sobre el que se recortaba una calavera con dos tibias cruzadas y un reloj de arena. Después de intercambiarse unos disparos de cañón, sin consecuencias para ninguno de los dos, el oficial que mandaba el *Poole*, a su llegada a puerto, hizo un reporte en el que quedó constancia, por vez primera, de la existencia de la bandera pirata.

Desde la innovación implantada por el pirata Wynne, el símbolo de muerte quedó incorporado a los signos externos de la presencia piratesca. Y el emblema del cráneo y las canillas se fue perpetuando, desde ser adorno en el cubrecabezas de los forbantes hasta los estandartes de ciertas fuerzas de choque de los modernos ejércitos.

El hecho cierto es que el flameo en un asta de bandera del pabellón pirata fue, en su tiempo, visión que helaba la sangre de viajeros y tripulantes del pacífico mercante que tenía el infortunio de topárselo. El grito del vigía desde la cofa de «¡Al arma!» «¡Pirata a la vista!», aprestaba a la defensa a todo aquel capaz de empuñar un medio de vender cara su piel.

Capítulo VII

EL SÁDICO MORGAN, ALACRÁN DEL CARIBE

A mediados del siglo XVII, Panamá era audiencia, sede episcopal y capital de trazos típicamente coloniales, urbanizados en torno a un núcleo germinal al que embellecían las primeras huellas del barroco. La población amerindia —chibchas y caribes— se ubicaba a extramuros, en las haciendas agrícolas y ganaderas. El descubrimiento de la riqueza minera peruana había convertido al istmo, y más concretamente a Panamá, en punto neurálgico de un tráfico comercial entre el Pacífico y el Atlántico y viceversa que producía una gran derrama de escudos. Procedentes de El Callao y de la lejana Manila, las naves anclaban en el puerto de Panamá dando lugar a un movimiento que en los días de feria reunía hasta cincuenta mil almas. El comercio local florecía merced a los establecimientos de abarrotes, a la venta de productos exóticos, perlas ístmicas y artículos del Lejano Oriente, porcelanas, especias y perfumes. De España llegaban los productos manufacturados, lienzos, estameñas, forjados, damasquinados, azogue y también barriles de buen vino de Jerez o de Sanlúcar. El tráfico a través del istmo se realizaba mediante convoyes formados por recuas de mulas —objetivo, como vimos, de una de las granujadas de Drake— que iban y venían entre Panamá y Nombre de Dios, lugar de embarque para España adonde enviaban las mercancías indianas, maderas, cueros, carey y también oro, plata y pedrería.

La sociedad consolidada al casi siglo y medio del Descubrimiento tenía ya perfiles propios y de aquellos tipos hirsutos con morrión, peto y cota de malla que habían sido los adelantados, se había dado paso a unas comunidades en las que sus clases dominantes descubrían el influjo de las dulzuras tropicales, patentes en el sabor de la papaya o la guayaba y en el ornato de jacarandas y tamarindos. La impronta indígena dejaba huella en los manjares sazonados con pimienta de Tabasco, ají y cayena, con cuya fortaleza se embromaba a los españoles recién llegados, indianos de nuevo cuño a los que más adelante se dio en apodar de «gachupines».

Pero la novedad más manifiesta era la mayor liberalidad de las costumbres, la progresiva influencia de lo criollo, es decir de lo español con una mentalidad en la que América empezaba a pesar más que Castilla y el Nuevo Mundo más que el Viejo. El gobierno, lejos de la metrópoli, suavizaba sus trazos autoritarios; la religión atenuaba inquisitoriales fulminaciones. La vida era amable y las mujeres lucían su belleza en los saraos donde se bailaba la pavana y la chacona, revestidas de corpiños ajustados y faldellines de terciopelo, entre el suave rumor de los fustanes de encajes de Flandes. El atavío se enjoyaba con gargantillas de esmeraldas, rapacejos de diamantes y prendedores de aguamarina. El aseo se perfumaba de ámbar para, a la salida de la misa, lucirse en calesa o a pie cuando las damiselas se exhibían por parejas o acompañadas por alguien que hacía de «chaperón».

Este culto al aderezo no era privativo de las clases privilegiadas. Según decía el ex fraile británico

Thomas Gage —un badulaque notoriamente anti-hispánico en todas sus manifestaciones— en su obra *Viaje a la Nueva España*, «no hay joven esclava, negra o mulata que no remueva cielo y tierra hasta ir a la moda con su cadena y brazaletes de perlas y sus pendientes de joyas de gran valor. El tocado de esta baja clase de gente de negras y mulatas es tan ligero y su modo de andar tan encantador que muchos españoles, aun de la mejor clase (que suelen tener excesiva afición al deleite venéreo), desdeñan sus mujeres por ellas». Se extiende después en otras minuciosas consideraciones hechas con más picardía de lo que su frailuna y austera formación pudiera hacer suponer, sobre cofias, cintas, basquiñas y refajos, no sin detenerse, con fruición, en anotar: «Los desnudos senos, negros o morenos, los llevan cubiertos con madroños que cuelgan de cadenas de perlas.» Y termina su descripción justificando, airada y puritanamente, la causa de toda esta liviandad: «Las más de entre ellas son esclavas, aunque el amor les ha dado la libertad para que, a su vez, esclavicen a otras almas al pecado y a Satán.»

La comunidad panameña en su emplazamiento privilegiado, con sus monumentos y con sus gentes, iba a sufrir el más despiadado de los embates. Sobre su existencia, sobre su vivir cotidiano, tejido como cualquier otro con sus esperanzas, sus pasiones y sus costumbres, caería la maldición de un asalto pirata llevado hasta las últimas y más espantosas consecuencias.

Por aquel entonces había empezado a sonar por el Caribe el nombre de Henry Morgan. Para hacer comprensible su actuar es preciso señalar someramente los avatares de la Corona inglesa en el primer tercio del siglo XVII. A Jacobo I Estuardo sucedió, en 1625, Carlos I. Cuando la mala cabeza de éste hizo que el verdugo diera buena cuenta de ella, llegó la hora de Oliverio Cromwell. Bajo la férula de éste, los proyectos ingleses de dominación en las Antillas adquirieron concreción y planificación. El vaivén político europeo del siglo XVII aportaba ciertas épocas de calma, aunque, como apunta Madariaga, «para España, cualquiera que fuera la situación europea, en pasando del meridiano de la isla de Hierro a las Azores y del trópico de Cáncer, no había paz». Pero el ascenso del Lord Protector al frente de los destinos de Inglaterra, significó la orden de ataque sistemático a las posesiones españolas con ánimo de conquista. Y representó, también, el uso de los bucaneros y de sus métodos como fuerza de choque al servicio de una potencia interesada en la disputa caribeña. Las acciones del *Olonés*, pese a la protección que le dispensaba Ogeron como gobernador de La Tortuga, no dejaron de tener un carácter local y hasta individual. Las operaciones de Morgan gozaron del más completo beneplácito estatal y Portobelo, Maracaibo, Puerto del Príncipe y Panamá, escenarios de sus atrocidades, serían cuarteles de un escudo nobiliario que le concedería Carlos II.

Henry Morgan había nacido en el País de Gales, en Llanrhymney, en 1635. Según su biografía fue raptado de niño en Bristol y llevado a las islas Barbados como esclavo. En aquel tiempo, las islas británicas, y sobre todo, Irlanda, eran testigo de unas razzias periódicas sobre vagabundos, mujeres de vida airada y chicos y chicas sospechosos de ser hijos de católicos para mandarlos a las Antillas —a Barbados— a fin de «blanquear» una población abrumadoramente negra. Propósito vano, dado lo floreciente de la trata de africanos, pero válido a efectos de alejar «indeseables». Las chicas irlandesas eran presa preferencial para el rapto, ya que para un historiador inglés, «la medida era muy benéfica para Irlanda porque la aliviaba de una población que siempre creaba disturbios en las haciendas; era benéfica para el pueblo que se exporta, porque de este modo se puede hacer inglés y cristiano; y es provechosa para los dueños de las plantaciones de azúcar en las Antillas que necesitan hombres y muchachos para la servidumbre, y mujeres y muchachas irlandesas en un país donde sólo tienen mulatas y negras para solazarse».

En los muelles de Bristol y en los de Plymouth no era insólito contemplar el llanto de unas madres ante el rapto de sus hijos, embarcados a viva fuerza con destino a unas Indias Occidentales cuyo plan de conquista se inicia cuando el almirante Penn y el general Venables, siguiendo las órdenes de Cromwell, arman una flota destinada a tomar Santo Domingo. Los efectivos no son flacos: 38 barcos y 2 500 hombres entre marineros y soldados. La expedición es un fracaso. Unos centenares de españoles y el coraje del gobernador, el conde de Peñalva, desbaratan el plan de invasión y ponen a los ingleses en fuga. Volverse de vacío a Inglaterra era jugarse la cabeza y, puestos a buscar un premio de consolación, en la carta náutica apareció la silueta de Jamaica donde apenas había guarnición española. Y Jamaica cayó en 1655, lo que no eximió a Penn y Venables de pagar su revés inicial en la Torre de Londres. Desde aquel momento, la isla de la caña de azúcar sería la cabeza de puente británica clavada en el mar de las Antillas y Port Royal, como ya ha quedado narrado, madriguera de filibusteros, bucaneros y demás gentes de mal vivir. De Jamaica partió el almirante Mings para sus ataques sobre Santiago y Campeche, donde, si no hubo conquista territorial, hubo un buen botín naval formado por catorce naves. En estos dos ataques ha empezado a distinguirse un joven intrépido y despiadado. Es Henry Morgan, aquel mozalbete raptado en Bristol y que ha hecho su aprendizaje pirático, entre relatos de bucaneros, acalorados por la chispa del brandy.

Un viejo marino llamado Mansveldt, que ha andado pirateando por los cayos, reconoce las cualidades de Morgan y se lo lleva de segundo de a bordo. Es una expedición que zarpa de Jamaica con quince navíos y pone proa a Campeche y, una vez desembarcados, la toman con Villahermosa. Desvalijan cuanto pueden y reembarcan rumbo a Trujillo, en Honduras. Es la primera vez que los piratas se aventuran en el corazón de Mesoamérica. Una tormenta los obliga a ir cambiando de bordadas para no estrellarse contra los cantiles. Su siguiente aparición es en la desembocadura del río San Juan, que refluye del lago de Nicaragua. El objetivo es Granada y para alcanzarla hay que abrir senderos por el manigual. Los indios, que creen ver en los ingleses unos dominadores más benévolos que los españoles, los ayudan. Su esperanza será falsa porque los piratas se aprovechan de la sorpresa que causa en la ciudad la brusca aparición de unos desalmados. Granada, inerme, es presa fácil y el expolio es fantástico. Después, los ingleses se marchan y a los indios no les queda más que el engaño. Al poco, muere Mansveldt y a la hora de elegir nuevo caporal el sufragio de los filibusteros es unánime. Morgan será quien guíe aquella patulea a nuevas y más ambiciosas maldades.

Esta capitanía espontánea le es refrendada por el gobernador de Jamaica que oficializa el cargo de Morgan, nombrándole coronel y dándole el mando de una armada de doce bajeles y setecientos bellacos, entre los que hay ingleses, franceses, negros, blancos y mulatos. El objetivo propuesto para emplear la fuerza es La Habana. Pero los informes que recibe Morgan de los desertores la dan por inexpugnable. Los castillos del Morro y de la Punta son dos guardianes bien artillados ante quienes los piratas pueden romperse los dientes. Y Morgan decide atacar Puerto del Príncipe. Es más fácil desembarcar en una costa indefensa, internarse por la sabana y caer sobre un poblado circunvalándolo. Y así se hizo. Puerto del Príncipe se rindió y con él todos los bienes de pillaje, no sin que a los hombres se les diera tormento y a las mujeres se las capturara para, al antojo de la hez, llevarse a las más jóvenes para nutrir las mancebías de Port-Royal. A su marcha, dejaron a los hacendados sin reses, a los ricos sin dinerales y a los pobres sin sus bohíos, incendiados en inicua prueba de sevicia. En total, Morgan acopió 50 000 pesos en moneda y alhajas.

Morgan anda entonces por los treinta años y ha demostrado una audacia contagiosa para emprender estas operaciones combinadas en las que la navegación se asocia al reconocimiento costeño, al desembarco en el punto clave y la penetración por las frondas de tierra firme para dar el asalto final a las villas. También ha revelado una insensibilidad que está pronta a la aplicación de la tortura y al uso de cualquier medio, por mucha que sea su inhumanidad. Los prisioneros, con tal de que confiesen, empiezan a ser martirizados con refinadísima crueldad.

Tras del éxito de Puerto del Príncipe, Morgan es felicitado por el gobernador. Sus métodos, buenos son si con ellos se cumplen los designios occidentales del Lord Protector, terne en su odio hacia lo español, a quien él califica de «papista». La turba pirata pide acción y Morgan no está remiso a saciarla. El próximo objetivo será Portobelo. A Morgan no le arredra que sea una plaza bien defendida. Él piensa atacar con nocturnidad y sorprender. Y así sucede. Y se supera la resistencia inicial. Hay un fortín que se defiende denodadamente y los filibusteros, en un lance afortunado, hacen estallar el pañol que almacena la pólvora. Todo vuela por los aires, defensores incluidos. Los bergantes de Morgan siguen su avance y se van apoderando de cuantos edificios hallan a su paso. Entre ellos, varios conventos a cuyos moradores, frailes y monjas, hacen prisioneros. La gente de Portobelo huye empavorecida ante el ataque de los piratas, esconden sus bienes en cisternas y rezan para que el Señor los libre de todo mal. Pero a la progresión de los asaltantes se opone un fuerte dispuesto a resistir. El capitán que lo manda lo convierte en un baluarte que aguanta todas las tarascadas disparando mosquetazos, lanzando carcasas encendidas, pucheros atiborrados de pólvora. Hasta piedras llueven sobre aquella turba feroz que ya cuenta sus bajas por centenares. En aquel momento, Morgan tiene una diabólica idea. Hace montar a toda prisa unas escalas improvisadas, las apoya en los muros de la fortaleza y obliga a ascender por ellas, en vanguardia, a los monjes y las religiosas que ha hecho prisioneros. La innoble maniobra no hace rendir armas a los defensores. Y los infelices rehenes, acribillados entre dos fuegos, mueren sacrificados a la maquinación filibustera cuya furia y ardides llevan las de ganar. El castillo deja de ser obstáculo y los invasores se entregan, triunfantes, al más completo latrocinio, a fornicar con las mujeres que atrapan, a comer y beber en medio de una batahola general.

Portobelo sufrió quince días de vandalismo ininterrumpido; los daños fueron ingentes, el botín, enorme. Al término de la barbarie, Morgan y sus secuaces pusieron rumbo a la isla de Pinos. Allí se hizo el reparto de los beneficios y con el dinero fresco, el destino final no podía ser otro que Port-Royal.

Con este éxito, Morgan acapara la idolatría de sus hombres. Él, por su parte, descansa en su mansión jamaicana, empieza a redondear su silueta de tipo sanguíneo, buen comedor de asados, goloso de fruslerías y que gusta de prolongar las sobremesas con tantos tragos de ron, que dan buena cuenta de su fortaleza y le sumen en completo estado de embriaguez.

Maracaibo va a ser la siguiente víctima. La operación sufre un retraso porque, preparando la empresa y en plena euforia planificadora, los piratas se entregan a copiosas libaciones. Y las celebran, para hacer gracia, disparando sus pistolones, tras de cada brindis. En el tiroteo, un chispazo hace estallar un barril de pólvora. La explosión daña la parte de popa del navío donde tiene lugar la reunión y da la casualidad de que, en la zona afectada, estaban encerrados unos prisioneros franceses, piratas disidentes de la capitanía de Morgan. La mayoría de aquellos desgraciados salta por los aires y va a dar con sus huesos a la mar. Y ante este incidente, Morgan, que ha salido indemne, tiene un gesto más que acredita su malignidad. Según el testimonio de Exquemelin, el pirata ordenó la búsqueda de los cuerpos, no para darles cristiana sepultura sino para robarles cuanto de valor llevaban encima. Al tratarse de sortijas, la amputación de los dedos era el más expeditivo de los procedimientos.

Cuando la población de Maracaibo barrunta la cercanía de la flota pirata, el recuerdo del *Olonés* y sus fechorías renace cual pesadilla atormentadora. El pánico es general. El éxodo hacia el interior es masivo, en carromatos, a pie. Cada quien acarrea cuanto de valor puede transportar. Desgraciadamente, siempre queda alguien rezagado o escondido hasta que los piratas dan con él. Y como los primeros registros y cacheos fueron baldíos, Morgan dio vía libre a la tortura. Con tal de arrancar confesión de tesoros o delación de opulencias, el filibustero galés era capaz de hacer uso de los más alucinantes castigos: torcidas encendidas aplicadas entre los dedos; hierros al rojo sobre la piel; torniquetes apretados bestialmente en torno al cráneo hasta hacer saltar los ojos de las órbitas... Todo valía a la insania del pirata con tal de arrasar las propiedades de unas comunidades prósperas y, en su mayoría, indefensas.

De Maracaibo dieron el paso obligado hacia Gibraltar. Y a fin de consumar la sorpresa, escogieron el más inopinado de los caminos: a través de la foresta de manglares. Un pelotón de macheteros iba haciendo senda entre la espesa maleza. Y ya asentado en Gibraltar, Morgan ordena el paso de sus naves hacia el propio lago de Maracaibo para poder contar con el apoyo de sus bronces.

En Gibraltar, la busca de tesoros y riquezas es frenética. La avidez de los bandidos es insaciable y la rabia por no encontrarlos en la cuantía deseada los lleva al sadismo. Lo inmisericorde de Morgan llega a la monstruosidad. Los prisioneros de quienes se sospecha ocultación de oro, son colgados de sus testículos. El suplicio, entre horribles sufrimientos, dura hasta que los cuerpos se desprenden por traumática emasculación. Después son rematados a lanzazos.

Cuando los criminales han esquilmado todo cuanto ha sido delatado en pleno martirio, vuelven a sus naves, pero la bajamar impide la salida. Cuando llega la pleamar, Morgan ordena aparejar y dejar la laguna. Será para encontrarse con la sorpresa de que en el puerto hay tres naves españolas acechando. La situación es crítica, pero Morgan es hombre de recursos. Carga una barcaza con pez, azufre y pólvora y hace de ella un brulote que lanza contra la capitana. La explosión es terrorífica y aprovechando el caos, el pirata, echando fogonazos por todas las troneras de sus barcos, consigue llevarlos a mar abierto. Naturalmente que no salen indemnes. Hay botalones partidos, botavaras quebradas y estays cortados. Alguno ostenta una escora que le hace embarcar agua a cada golpe de mar. A los desperfectos se une un mal tiempo que azota las cubiertas. Después de parchear y cuando el temporal amaina, los navíos filibusteros marcan su derrota hacia Port-Royal.

La presa había sido opípara. Detrás quedaba un rastro de muerte y destrucción. Maracaibo está en ruinas y en premio a tal proeza, el gobernador Modyford —que es socio y manijero de Morgan en sus bellacadas— le regala una plantación. Aquella sucesión de agresiones alevosas no podía quedar impune. Una flota española apresa, en represalia, a varios barcos ingleses en ruta hacia Jamaica. Hay un intercambio de notas diplomáticas entre Londres y Madrid porque España, tras la subida al trono de Carlos II de Inglaterra, pide enérgicamente al inglés que se ponga coto definitivamente a aquel pillaje que desangra unas ciudades que desde su fundación y desde Drake a Morgan no han conocido tiempo de sosiego. Londres hace llegar a Jamaica una queja por los desmanes y pide —hipócritamente— que sólo se ataque a barcos. Pero el camastrón de Modyford, amo y señor de la isla, sabe mejor que nadie la corriente de piastras que inunda su dominio, porque Port-Royal vivía una bullanga perpetua. En ningún lugar como allí podían vender mejor los piratas sus tesoros robados; después, derrochaban a manos llenas y trasegaban cerveza a raudales. Hasta los viandantes que transitaban por la plaza de armas se veían obligados a beber por los filibusteros, exponiéndose, si no lo hacían, a que un perillán desairado les volara la tapa de los sesos. En cuanto a las expansiones venustas, los prostíbulos disponían de pupilas de todos los cutis. Hasta allí habían llegado las rubias

irlandesas, expatriadas a la fuerza para refocila-
miento. El oro volaba y no era espectáculo insólito
el ver bribones en plena francachela bebiendo en
jarras de plata. A algunos, la mutilación era causa
de su munificencia. Perder un ojo valía ya una fortuna. El mismo despilfarro del que hacían gala, era
razón de que aquellos manirrotos urgieran nuevas
tropelías. He aquí cómo describe Exquemelin, muy
gráficamente, la situación:

«Sabía ya Morgan que estaban en Jamaica sus
centuriones reducidos a la mendicidad a causa de
sus desenfrenados vicios, pues que los veía mise-
rables e implorantes que pedían nuevas invasiones
para poderse sustentar y cubrir sus carnes, que estaban desnudas por haber cubierto las de las des-
caradas rameras que allí habitan, con lo que hur-
taron a los pacíficos españoles; así es que trató de
contentar a muchos vecinos de aquella tierra,
acreedores de largas sumas que les debían los piratas, con la esperanza de que él y sus compañeros
saldrían de refresco a buscar para sí y para ellos.
No se daba mucha fatiga en buscar gente, pues, antes bien, le era preciso cerrar la puerta a los muchos que le querían seguir. Emprendió, pues, nueva
armazón y para ello asignó el lado sur de La Tortuga escribiendo cartas a los viejos y experimen-
tados piratas que en ella estaban, al gobernador de
la isla y a los plantadores y cazadores de La Española; a todos los cuales declaró su intención y
citó en el sobredicho lugar. Cuando oyeron las nuevas, concurrieron en gran número con navíos, canoas y barcas, para escuchar los preceptos del in-
humano Morgan. Muchos, que no tuvieron ocasión
de ir por mar, atravesaron los bosques de La Española y al fin se hallaron todos el día 24 de octubre del año 1670 en el lugar de la designación.»

El cónclave pirático puso a discusión la plaza
que sería objeto de su salvajismo. El punto de mira

situaba a Veracruz, Cartagena de Indias y Panamá como las presas más codiciadas. Finalmente, la desventura recayó en Panamá a la que se reputó como la más rica de las tres. Desde aquel punto y hora la ciudad del istmo tuvo sus días contados.

Modyford, haciendo caso omiso de las recomendaciones de Londres, asciende a Morgan al rango de comandante en jefe de las fuerzas navales de Jamaica. Y será con estos entorchados con los que dirija la expedición sobre Panamá, una flota de treinta y seis embarcaciones entre galeones, pinazas y fustas. Dos mil charranes forman el grueso de las fuerzas de desembarco. Hasta los que caminan con una pantorrilla de pino se han hecho de la pandilla. Es una empresa en la que el pelafustán de Modyford acredita su doblez puesto que, como asevera Philip Gosse en su *Historia de la piratería*, «la encomienda oficial prestaba una apariencia de respetabilidad a lo que no era, en verdad, sino pura piratería y es significativo que el documento terminara con las instrucciones siguientes: "Como no hay otra paga con que animar a la flota, tendrán [los tripulantes] todos los bienes y mercancías que capturen en esta expedición, divididos entre ellos de acuerdo con sus reglamentos"».

Cuando Morgan está ultimando los preparativos, Modyford tiene conocimiento de la firma del «Tratado de América», entre Inglaterra y España, en el que se dictan normas para acabar de una vez con las agresiones filibusteras y se admiten y regulan derechos para el tráfico libre y mutuo con el Nuevo Mundo. El gobernador culmina su falsía y calla. Y las naves de Morgan marcan su derrota en plena empopada hacia Chagres, punto en el que está previsto el desembarco. De allí, atravesando el istmo, caerán sobre Panamá.

El fuerte de San Lorenzo, a la entrada del río Chagres, es la primera presa que el pirata captura.

Algunos de los servidores del bastión, agotadas las municiones, han preferido tirarse al mar desde lo alto de las empalizadas. Dejando allí una guarnición, Morgan emprende la operación terrestre al mando de mil ochocientos hombres. La marcha se hace siguiendo el curso del río a través de la tropicalidad. Es una caminata que durará nueve días penosos, en lucha contra los insectos, las lluvias, los caimanes y las calenturas que se contraen en la proximidad de mefíticos lodazales. Para colmo de desdichas, la expedición está a punto de perecer de hambre, porque la alarma ha cundido y rancheros y plantadores han quemado cosechas y ocultado provisiones con las que contaban los bandidos. En el crepúsculo del noveno día de marcha y con la gente exhausta, un oteador anunció que el campanario de la catedral de Panamá estaba a la vista. De no ser por los propósitos pérfidos que animaban a aquella caterva de sayones, la travesía hubiera sido digna de admiración.

Hay que admitir que la presa era como para encalabrinar a cualquiera. Panamá con sus palacios, ricos en pinturas y obras de arte, con sus avenidas en las que se alineaban hermosas residencias de comerciantes, sus iglesias pletóricas de retablos y ornamentos valiosos, todo ello presagiaba un botín del más alto valor.

La lucha fue feroz y no hubo añagaza o treta que no se pusiera en juego. Desde dar suelta los españoles a una punta de toros de casta que arremetieron contra los piratas, hasta la maquiavélica maniobra de Morgan que propició el asalto por el lugar más inesperado: el que pilló a los morteretes españoles por retaguardia.

El combate final, a campo abierto, fue al arma blanca, a lanzazos y mandobles, entre gritos y blasfemias. La resistencia de la guarnición española fue furibunda y con ella se dio tiempo a que bastantes riquezas pudieran ser evacuadas por mar en las naves disponibles. Muchos pobladores huyeron hacia la sabana portando consigo cuanto de valor tenían. Finalmente, los asaltantes llevaron la mejor parte y cuando la ciudad estaba virtualmente tomada y empezaba el saqueo, surgió lo inesperado: el incendio provocado por los lanzamientos de estopas encendidas impregnadas de azufre con las que unos resistentes mantenían a raya a los piratas. El incendio prendió en aleros de cedro, balconadas de palisandro y muebles de caoba. Y en toda clase de mercancías combustibles, en almacenes y depósitos. Panamá se convirtió en una gigantesca pira.

Durante quince días los filibusteros estuvieron luchando contra las llamas, lanzándose enfurecidos a hurgar en aquel reverbero, coléricos al ver fundirse las riquezas que ya daban por apresadas. Las batidas por los alrededores, la habitual captura de rehenes a los que la vesania de Morgan hizo aplicar las más rebuscadas torturas, no consiguieron extraer de Panamá el soñado botín. Pese a todo, en la andadura de retorno, las bajas en las filas filibusteras eran cubiertas por las acémilas a cuyos lomos iban los bienes requisados.

En Chagres se procedió al reparto y como la cuantía no fuera la esperada, brotaron las reyertas, acuchillándose sin piedad los piratas unos a otros, y en olvido de todo rastro de hermandad bucanera. Fue el momento que aprovechó Morgan para levar anclas y zafarse de sus secuaces, a los que abandonó dando una prueba más de su taimada catadura.

Su aparición en Jamaica no tuvo los aires triunfales de expediciones anteriores. Londres ha tenido noticia de la brutalidad de Panamá, y ordena que Modyford y Morgan vayan a Inglaterra sin dilación. El gobernador es encerrado simbólicamente

110

en la Torre de Londres, pero a Morgan ¿quién puede reprocharle que con sus hazañas no haya hecho más que cumplir el más decidido propósito inglés desde Isabel I a Carlos II, y que era dañar todo lo posible a los españoles en sus buques, en sus ciudades, en sus bienes y en sus personas?

Hubo que dejar pasar algún tiempo antes de que, en 1672, aquel gran rufián fuera rehabilitado por Carlos II, armado caballero y nombrado lugarteniente general de la isla de Jamaica. Es lo menos que merecía tan leal vasallo. A su regreso al escenario de sus abominaciones, se dedicó a imponer la ley y el orden, persiguiendo a sus antiguos compinches cuando tenían la tentación de reincidir en las acciones en las que el propio Morgan había sido su maestro y capitán.

En su hacienda jamaicana, abotargado, gotoso y pasando del madeira a media tarde al «grog» a media noche, discurrieron los últimos años del pirata, no sin que, en 1683, tuviera el disgusto de verse depuesto de su cargo por «abuso de poder». Murió en 1688.

Cuatro años después, exactamente el día 7 de junio de 1692 a la hora del mediodía, tres terremotos seguidos, de inusitada violencia, destruyeron Port-Royal, la ciudad donde había campeado el más desmedido libertinaje. La mayor parte de los edificios fueron a parar al mar; una ola gigante barrió el muelle, rompió amarras e hizo que algunas naves fueran a parar encima de las propias ruinas. Dos mil habitantes perecieron entre los escombros provocados por el temblor de tierra y el maremoto que le sucedió. Otros tres mil sucumbieron a la epidemia de peste que sobrevino a continuación. A la tumba de Morgan se la tragó la tierra, no dejando rastro alguno del filibustero.

No fueron pocos los que interpretaron la catástrofe como una maldición divina.

En 1673 fue fundado un nuevo Panamá, a unas leguas del viejo emplazamiento. Del antiguo que fundara Pedrarias Dávila en 1519, no quedaron más que los muros del convento de San José y la torre de la catedral. Era todo lo que había resistido el asalto de Morgan, el hombre que con su temperamento alacranado y su crueldad redomada dejó la más sádica y sombría huella de su paso por el Caribe.

Capítulo VIII

VIDA, ANDANZAS Y DESVENTURAS DEL CAPITÁN SHARP

La fructuosa carrera de Morgan dejó honda huella en la Hermandad bucanera. Los usos piratescos habían arraigado en demasía como para que la simple implantación del Tratado de América los pudiera desterrar sin más. Sin embargo, su continuidad no iba a encontrar facilidades. La guarida jamaicana había dejado de serlo y hasta los propios comerciantes —si se exceptúa a los dueños de tabernas, garitos y prostíbulos— ansiaban normalizar su existencia sin verse expuestos a los bromazos que provocaba la presencia alborotadora y atolondrada de aquellos patibularios tan tumultuosos como despilfarradores. El Gobierno inglés, deseoso de ofrecer una salida reparadora a quienes le habían servido tan eficazmente, promulgó una amnistía para los bigardos que mostraran propósito de enmienda y deseos de rehacer su vida siguiendo el buen camino. En contrapartida, amenazó con el cadalso a los empeñados en continuar su empecatada existencia. Y si fueron numerosos los que se acogieron a las medidas de gracia y se dedicaron a hacer de buhoneros o de prenderos, tampoco faltaron los que, con los hábitos bien afincados, prefirieron seguir desplumando las naves que pacífi-

113

camente navegaban en demanda de un abra acogedora que los pusiera a salvo de sobresaltos. Para muchos, el tratado que prohibía sus actividades contra España no era más que una pausa a la que pondría fin una nueva enemistad angloespañola —esperable dados los vaivenes de la política internacional— susceptible de dejar las buenas palabras en papel mojado.

Los recalcitrantes se dieron buena maña en hallar un nuevo refugio donde encontrar tolerancia para reparar sus barcos, mercado donde liquidar el fruto de sus hurtos y lugares donde holgar en compensación a los riesgos corridos.

El punto ideal lo encontraron en las Bahamas o Lucayas, archipiélago de playas de finísima arena, arrecifes coralíferos y miles de peñascos que contorneaban las setecientas islas e islotes, integrantes de la posesión inglesa. Su estratégica situación, limítrofe con el canal Viejo entre Camagüey y las propias Bahamas, ponía a tiro de cañón el paso obligado de las naves que circulaban entre España y los virreinatos, y viceversa. Las más sabrosas presas quedaban al alcance de cualquier depredador. A mayor abundamiento, el mandamás que desde New Providence gobernaba aquella parcela insular era un tal Robert Clark, sujeto de muy pocos escrúpulos y en la mejor disposición para acoger a todo aquel cernícalo que pudiera reportarle beneficios, por muy turbia que fuera su procedencia. Para remate de perfecciones, la isla de New Providence distaba escasas leguas del litoral americano del Norte, territorios en los que la ubicación de colonos de origen anglosajón podía ofrecer perspectivas operativas para los filibusteros, a poco que las autoridades de aquellas posesiones vieran en los piratas agentes dispuestos a actuar en su provecho. La panorámica era tentadora y el gobernador Clark se mostró de lo más dispuesto a conceder patentes a los barbianes pertinaces, siempre y cuando éstos le pagaran en buenas piastras la tarifa establecida por la concesión.

Entre los personajes de la más variada calaña que formaron la última generación filibustera, los hubo con gran notoriedad. Uno de ellos fue William Dampier, explorador excepcional que en su primera navegación con capitanía, y de rapiña en rapiña, llegó nada menos que hasta la costa de Australia, periplo del que dejó cumplida referencia en su relato *Viaje alrededor del mundo*, que es hoy un clásico del género de aventuras. Dampier, que era de los menos gárrulos de aquella pandilla de malvados, acabó de oficial de la Marina Real inglesa, en aprovechamiento de su gran experiencia marina y de la buena conducta observada tras abjurar de las prácticas de la filibuste. En una expedición posterior a la que le condujo hasta el continente australiano, Dampier llevó consigo como piloto a bordo de su fragata *Cinque Ports*, a un tal Alexander Selkirk. Éste era un escocés al que desde chico le había fascinado la vida marinera. El periplo que emprendió de segundo de Dampier hubiera sido uno más entre los que se efectuaban en aquella época tan propicia a la piratería, de no ser porque al llegar, en octubre de 1704, a una isla deshabitada llamada Más a Tierra, del archipiélago de Juan Fernández, el *Cinque Ports* fondeó y soltó un lanchón en el que embarcó un grupo de hombres armados custodiando al citado Selkirk. Llegados a tierra, el grupo de hombres condujo al prisionero hasta el interior de la isla y después de abandonarlo, dejándole por todo pertrecho una botella de agua y una lata de pólvora, remaron de nuevo hacia el navío, largando velas éste poco después.

Existen varias versiones de tan canallesco comportamiento. Para unos, Selkirk se insubordinó, cosa que la ley pirática no perdonaba. Para otros, la historia afirma que el escocés llegó a la isla a nado, salvado de un naufragio. El hecho es que Selkirk quedó perdido en un paraje volcánico y sin más defensa que su propia capacidad para sobrevivir. Cuatro años más tarde, el *Duke*, fragata que formaba parte de una expedición mandada por el comandante Woode Rogers —que adquiriría gran notoriedad posteriormente como gobernador de las Bahamas e implacable perseguidor de piratas— recaló en la isla de Más a Tierra y de ella desembarcaron unos tripulantes con el propósito de cazar algo comestible. Y cual no sería su sorpresa al encontrarse con un ser humano barbudo, harapiento y asilvestrado, al que costaba trabajo articular palabra y lloraba de emoción. Este hombre, que se había aclimatado al mayor primitivismo y alimentado de huevos de tortuga y carne de lagarto, fue rescatado para la civilización, y su odisea inmortalizada por Daniel Defoe que lo tomó como modelo para su famoso Robinson Crusoe.

En aquella hora crepuscular para la bucana, los hombres que se concertaron para engrosar sus filas fueron de la más variopinta condición. Las Antillas habían crecido en población, yendo a parar a ellas gentes rebotadas de sus países y que emigraron con la esperanza de encontrar un mundo mejor. Pero no fue así y su reiterado fracaso les conduciría a la piratería como inconfesable eslabón de su existencia. Y así, en la recluta bucanera se hallaban plantadores de Barbados en la ruina, con la hacienda perdida a los naipes; había negociantes de Curaçao buscando olvido a un infortunio conyugal; había cirujanos de la Martinica a quienes su embriaguez permanente había hecho perder la clientela y buscaban comprensión para sus yerros en el mundo de los bucaneros, tanto más cuanto que los yerros eran provechosamente indemnizados. Y había, asimismo, prófugos del reclutamiento en la Armada, desertores de todas las causas y hugonotes perseguidos por las disputas de religión. Toda esta gente se fundía, como buenos mercenarios, en el espíritu de la hermandad, bajo el estímulo de la aventura y la codicia de la requisa. El destino de estos hombres fue tan dispar como su procedencia. Unos, los más, acabaron sus días colgados por el pescuezo si tuvieron la desgracia de ser hechos prisioneros. No pocos murieron en el curso de sus fechorías. Los más suertudos hicieron un capital que les permitió entrar en la honorabilidad. A otros, en cambio, las ganancias se les volatilizaron entre fullerías de tahúres y arrumacos de mujeres. Y pobres y añosos se les vio arrastrarse por los puertos de Trinidad, Antigua o Guadalupe en espera de una plaza de marinero aunque fuera la más baja. De todos estos individuos, que en un tramo de su vida pasaron por la piratería, tal vez la suerte más curiosa fue la corrida por un cierto Lancelot Blackburne, sujeto que llegó a tomar los hábitos y escalar la jerarquía de la Iglesia reformada. He aquí cómo detalla Philip Gosse, en su libro ya citado, la pintoresca carrera de Blackburne:

«Sus enemigos [de Blackburne], pues tuvo tantos enemigos como firmes amigos en su larga vida, declararon que el recién ordenado, graduado en Christ Church, en Oxford, estuvo durante los años 1681 y 1682 vagabundeando por las Antillas y el Caribe en compañía de los bucaneros. Lo cierto es que, en 1681, partió para las Antillas y que a su regreso a Inglaterra se le pagaron veinte libras "por servicios secretos".

»Corrió la historia de que un buen día apareció en Inglaterra un ex bucanero preguntando qué había sido de su camarada Blackburne, hasta ser informado que era ahora arzobispo de York. Horace Walpole, conde de Oxford, creía, o al menos pretendió creer, que Blackburne fue bucanero pues escribió: "El viejo y jovial arzobispo de York, quien tenía todas las maneras de un hombre de calidad, había sido bucanero y clérigo, pero no retenía nada de su primera profesión, salvo el serrallo."»

Las leyendas en torno al chocante arzobispo menudearon, como les suele acontecer a quienes se aureolan de un pasado misterioso. Una de ellas, atribuida al arzobispo de Canterbury —que no debía de amar mucho a Blackburne— sostiene que nuestro hombre tenía como ayuda de cámara al que después sería famosísimo salteador de caminos, Dick Turpin. Y el prelado de Canterbury llega más allá en su malévola versión afirmando que este contubernio entre el cura y el bandido hizo que la gente notara cómo las noches en que Blackburne y su edecán salían en secreto de la mansión arzobispal, coincidían, casualmente, con el atraco y desvalijamiento de la diligencia de Bath.

Retornando a las postreras acciones del filibusterismo, éstas tropezaban con crecientes dificultades para encontrar apoyos en el mar de las Antillas. Las islas inglesas de las Indias Occidentales, Antigua, Barbuda o Granada, no estaban muy proclives a permitirles hacer aguada o proveerse de vituallas en atención al Tratado en vigor. Las holandesas, como Saba o San Eustaquio, estaban resentidas por haber padecido el pabellón neerlandés ataques piratas sin miramiento alguno. Las francesas, como Martinica o Marie Galante, eran las más condescendientes por haber un buen contingente de franceses entre los filibusteros, remanente de los buenos tiempos de La Tortuga. Y en cuanto a las posesiones españolas, por protegidas que estuvieran por los pactos, seguían siendo el objetivo, aunque las más relevantes habían redoblado sus defensas. La idea que se abría camino en las juntas de piratas, en las tabernas de New Providence, era temeraria a fuerza de ser osada. Había unos territorios hispánicos que, desde los tiempos de Drake, y exceptuando una incursión del pirata Cook, apenas habían sido holladas por los bandidos ni sufrido la humillación de un asalto armado: eran los puertos de la Costa Firme, a orillas del océano Pacífico.

Fue el capitán Bartholomew Sharp, curtido marino y acreditado malandrín, quien decidió llevar adelante el arriesgado empeño. La expedición zarpó de Port Moran en 1680. El primer hito sería, una vez más, Portobelo, al que su emplazamiento condenaba a ser antesala de las agresiones al istmo. Los piratas lo tomaron, prosiguieron hacia el Darién y en canoas llegaron al Pacífico. La expedición, sin mecenazgo alguno, debía alimentarse de sus propias presas. Y, de entrada, las conquistaron: dos balandras que tomaron al abordaje. Con ellas y una escolta de canoas enfilaron la ruta del cercano Panamá. En aquellas aguas sorprendieron a dos navíos de guerra que rodearon y asaltaron. Y, con gran audacia y utilizando los veleros incautados, cayeron sobre la *Santísima Trinidad*, una carabela bien armada que resistió cuanto pudo hasta que los piratas dieron buena cuenta de toda obstinación. Habían conseguido su propósito: entrar en poder de un barco cuya arboladura y armamento les permitiera superar las iras del Pacífico y las andanadas españolas.

La ambición, no obstante, era un tanto desmedida. Tan fue así que no todos los participantes estuvieron de acuerdo en emprender la travesía del gran mar del Sur, exponiéndose, con toda seguridad y lejos de todo apoyo, a no ser bien recibidos en los puertos hispánicos. Sharp hubo de hacer frente a una rebelión que finalizó cuando los timoratos, tanto como los prudentes, optaron por ir al saqueo de las aldeas del istmo, dejando la gran regata boreal para los más ardidos. Entre éstos estaba otro notable asaltante de barcos llamado Sawkins que se había unido en Bocas de Toro a la expedición Sharp.

Por el momento, los piratas se contentaron con apropiarse de los cargamentos de cuanto bergantín se puso a su alcance. Eran los pertrechos indispensables para una travesía cuya largura nadie se atrevía a predecir. Tampoco les faltó asistencia por parte de unos inescrupulosos comerciantes españoles que, con tal de hacer negocio, se acercaban de tapadillo y al amparo de la noche, en botes llenos de mercancías, hasta unas brazas de los piratas. Por fortuna para los panameños, la nueva ciudad que habían levantado, tras el incendio de 1671, se libró del ataque de unos hombres cuyo pensamiento estaba puesto en Guayaquil, Arica y Antofagasta. La realidad se encargaría de chasquear su carga de esperanzas.

Con viento en popa y a toda vela, la *Santísima Trinidad*, acompañada por dos naves menores, puso su proa hacia al sur. El primer asalto a las tierras del continente austral se produce en la proximidad de Buenaventura, en Colombia. El destacamento que desembarca, con Sharp y Sawkins en vanguardia, es recibido hostilmente. Tan hostilmente, que Sawkins cae muerto de un tiro de espingarda en el corazón. Otros hombres quedan malheridos, razón que aconseja a Sharp ganar las naves y buscar recibimientos más amistosos. Los períodos de calma chicha que atraviesan merman las existencias de víveres, motivo por el que Sharp estima necesario acercarse a la isla de Gorgona en busca de provisiones. Allí discurren unas jornadas de relajación y en tanto que se repasaba la obra muerta y limpiaban fondos, los piratas se entregaban a grandes festines. La pesca era abundantísima y aquellos desgraciados, cansados de comer mazamorra, tocino ahumado o buey en adobo, se har-

taron de mariscos frescos, centollos, ostiones, bo-
gavantes... Es muy posible que las delicias de la
isla hubieran hecho desistir a los brigantes de todo
propósito maléfico de no ser por la obstinación de
Sharp, firme en hacer comprender a su gente que
el viaje se hacía para robar y no para holgazanear
y pasarlo bien. Para no poder ser tachados de ino-
perantes fueron apresando cuantos barcos tenían la
desventura de cruzarse con ellos. El botín conseguido no hizo olvidar que la meta era Arica. Pero
la rica villa peruana tenía buenos parapetos y mejores defensores. Todos los intentos de desembarco
fueron rechazados enérgicamente, y a los atacantes
no les quedó otro remedio que poner pies en pol-
vorosa.

De no ser por los apresamientos en alta mar, la
expedición hubiera caído en el ridículo, situación
que pudo degenerar en desastre si cuando fondea-
ron frente a La Serena, a la vera de Coquimbo, hu-
biese prosperado el suicida intento de un indígena
nadador que, envuelto en la oscuridad de la noche,
adosó al casco de la *Santísima Trinidad* un relleno
de estopa empapado en azufre que, al arder, provocó gran pánico entre los piratas. Sofocado el fuego y calmada la alarma, la pequeña y hasta ino-
perante flota, siguió su ruta arribando sin novedad
a una isla del grupo de las de Juan Fernández donde la carencia de habitantes permitió anclar sin
problemas. Era el día de Navidad de 1680. La expedición, a falta de grandes beneficios por causa de
sus fallidos desembarcos, daba un sesgo gastronó-
mico a sus arribadas. En la isla había buena caza
y como la festividad era propicia, hubo asado de
cabra salvaje. Entre los bandoleros y los rehenes
apresados en las capturas marítimas hubo paz y
buena voluntad. Se brindó con vino de la Rioja
procedente de unas tinajas agenciadas en Panamá
y en aquel lejanísimo confín, lejos del respectivo

terruño, cada cual se dio a la nostalgia platicando acerca de los suyos y de sus vidas. Un prisionero español, maese Rubalcaba, deleitó a todos con chanzas y dicharachos en los que era muy ocurrente y gracioso.

Pero tras la calma vino la tempestad. Parte de la tripulación puso en duda la continuidad del viaje. Unos querían rehuir el cabo de Hornos y desandar lo andado. Otros querían doblarlo y volver a las Antillas. Como perdiera la facción que obedecía a Sharp, la decisión fue abrupta: destituirle y nombrar en su puesto a otro pirata, el capitán Watling. Éste impuso reincidir en el ataque a Arica y el resultado no pudo ser más desastroso. Watling resultó muerto y hubo que regresar a las naves. Algunos, a nado. Para colmo de desdichas, los dos cirujanos que desembarcaron, por haber bebido más de la cuenta, se despistaron y fueron hechos prisioneros por los españoles. No hubo otra solución que pedir a Sharp que pusiera orden en aquel desbarajuste. La decisión de afrontar el cabo de Hornos se impuso. Y tras liberar a los rehenes evacuándolos en una barcaza en la proximidad de Valparaíso, se aparejó la *Santísima Trinidad* para desafiar los temporales del cabo. Los apresamientos siguieron, aunque los piratas se limitaban solamente a incautarse de la carga y una de ellas, de una carabela española, llenó de regocijo a los ladrones ya que estaba constituida por cofres llenos de plata acuñada. Pero estaba de Dios que aquella travesía que con tanta avidez se había emprendido iba a deparar sólo chascos y decepciones. Alguna tan monumental como ésta: la carabela que transportaba los cofres contenía, asimismo, una partida de lingotes cuyo material nadie acertó a discernir. Tras arduas discusiones se impuso la idea de que estaban hechos de estaño; y por andar sobrados de lastre, decidieron arrojarlos a la mar, salvo uno que fue conservado por un marinero. Cuando, meses más tarde, este marinero lo enseñó en Bristol, un entendido le aseguró que se trataba de plata maciza sin pulir. ¡Aquellos desventurados habían tirado por la borda más de ciento cincuenta mil libras esterlinas! Cuando se enteraron del desastre era ya demasiado tarde hasta para la desesperación.

Y la expedición siguió de espaldas a la fortuna. El siguiente episodio corrió a cargo de los indios y los negros que llevaban como criados, quienes urdieron una revuelta destinada a apoderarse del buque y llevarlo de arribada forzosa a un puerto chileno. Para su fin pensaban aprovecharse de los momentos en los que el consumo de coñac dejaba a la mayoría de la tripulación en lamentable estado. Para desgracia de los conspiradores, el capitán Sharp, que estaba en su noche abstemia, descubrió la trama y a los más comprometidos los pusieron en la serviola y los pasaron por las armas.

Llegó el momento de entrar en aguas del cabo de Hornos, con toda su mar de fondo. Con el cielo fosco y cubierto, violentísimas ráfagas de viento y precipitaciones de aguanieve, el *Santísima Trinidad* ascendía hasta la cresta de las olas y descendía hasta simas de las que nadie creía poder emerger. La borrasca azotaba la nave y la zarandeaba a riesgo de estrellarla contra los farallones de la costa. Los bandazos eran tremebundos. El capitán Sharp no se movía de la barra del timón. Sereno y obstinado aguantó la tempestad a pie firme. No todos pudieron decir lo mismo. Del resto de la tripulación algunos, presos del más espantoso mareo, yacían tirados en penoso estado. Otros, a fuerza de combatir el pánico con brandy, eran incapaces de la más mínima maniobra. Contados fueron los lobos de mar que ayudaron a Sharp en la peliaguda tarea de capear aquel baile infernal.

Al fin, después de una semana de luchar contra los elementos desencadenados, despejó el cielo y apareció la bonanza. Se había entrado en el océano Atlántico, un año después de la celebración navideña en la isla de Juan Fernández. Una nueva Pascua estaba al caer y tras las penalidades soportadas, y a despecho de los fracasos, la tripulación estaba de buen ánimo y deseosa de festejar la fecha. Véase cómo describe los pormenores el cronista de la expedición, Ringrose:

«Este día, siendo de Natividad, para la celebración de tan gran fecha matamos, ayer tarde, una puerca. Esta cerda la traíamos del golfo de Nicoya, siendo entonces un lechoncito de tres semanas de nacido, pero que ahora pesaba alrededor de unas cuatro y media veintena de libras. Con la carne de este cochino hicimos la cena de Navidad, siendo ésta la única carne que comimos desde que abandonamos nuestras presas debajo de la línea equinoccial.»

El velero rebasó las islas Malvinas y siguió su rumbo, tras reparar los desperfectos en foques, juanetes y cangrejas ocasionados por el furioso temporal. Y sin más novedad que el apresamiento de una fragata lusitana de la que sustrajeron unas barricas de vino generoso, a finales de enero tocaron tierra en las Barbados. Allí no fueron muy bien recibidos por sus reiteradas violaciones al Tratado en vigor, por lo que hubieron de peregrinar a Antigua y como en esta isla encontraran un navío de guerra inglés, optaron por ponerse a salvo en aguas de Nevis donde, al fin, pudieron rendir viaje. Tras aquella sarta de peripecias escasamente dotadas por la suerte, la tripulación se dividió en dos grupos. Uno era el de los que en las interminables partidas de naipes disputadas durante el largo viaje habían tenido la fortuna de su lado. El otro grupo lo formaban los perdedores, los que en las apuestas habían hipotecado hasta las ganancias futuras, incluido, naturalmente, el botín que les reportara el viaje de la *Santísima Trinidad*. Tras dos años de azarosa y malaventurada navegación, se habían quedado sin un cobre.

Al capitán Sharp, la tripulación, agradecida por su destreza de navegante que los salvó de una muerte cierta en las traicioneras aguas del cabo de Hornos, le regalaron un mulatillo esclavo para que le hiciera de mucamo. Sin embargo, los avatares del capitán estaban lejos de haber terminado. Él, junto al nostramo, Cox, se vieron obligados a comparecer ante un tribunal encuestador de sus actividades ilícitas. Su sorpresa fue mayúscula dado el fiasco que habían sido sus propósitos piráticos. En cambio, como marino, estaba muy orgulloso de su ejecutoria. Tan era así que conservaba como oro en paño su cuaderno de bitácora donde, con el detalle de sus singladuras, registraba múltiples observaciones marineras y geográficas que juzgaba de gran valor.

Afortunadamente para él, la encuesta fue benévola a la vista de sus reiterados reveses. Sus andanzas, del Pacífico al Atlántico, habían tenido más de novela de aventuras al alcance de los niños, que de empresa dañina y alevosa. Fue absuelto y su rastro se perdió para siempre, aunque sus rehenes liberados guardaran el recuerdo de unas Navidades pasadas en un extremo del mundo, en la compañía de un capitán pirata. Algo que contar a sus nietos.

La postrera incursión bucanera en aguas antillanas tuvo acento francés. Se estaba en 1697 y la guerra que tronaba en aquellas calendas era la que sostenían España e Inglaterra, conjuntamente, contra Francia. Un hugonote perseguido, monsieur De Pointis, hizo llegar a oídos de Luis XIV cantos de sirena respecto a la fragilidad de los enclaves españoles en el virreinato de Nueva Granada. Y apuntaba específicamente hacia Cartagena de Indias. De Pointis contaba con un apoyo seguro, el de un cierto Ducasse que aparecía como el último protector de los bucaneros y quien podía movilizar un batallón de hombres con la más proterva de las intenciones.

Se trató, pues, de una empresa mixta. De Pointis mandaba las fuerzas regulares, reclutadas en Francia, y su socio, las suyas, concentradas en el entorno de Martinica. En total: veintiséis navíos con más de quinientas bocas de fuego y cinco mil guerreros entre soldados, marinos y piratas. La operación tuvo el sangriento y monótono desarrollo de estos reiterados asaltos. Tras catorce días de bombardeo a boca de jarro, Cartagena tuvo que arriar bandera. De Pointis, después de apoderarse de lo que tuvo a bien, quiso observar una conducta de caballero ante el gobernador y los notables. A fin de cuentas, su país estaba en guerra con España y había que respetar ciertas convenciones. Pero sus buenas maneras se vieron rebasadas por las turbas bucaneras que pillaron y violaron a su antojo. Y mostraron particular saña contra la Iglesia católica, prodigando los más horribles sacrilegios sobre las veneradas imágenes de San Miguel, Nuestra Señora del Rosario y la Santísima Virgen de la Antigua, objetos de la especial devoción de los habitantes. Un cronista transcribe de esta manera la infame conducta de los asaltantes. «De las casas del Tribunal [de la Inquisición] sacaron los sambenitos y corozas, saliendo algunos en forma de reos por la plaza y otros con representación de los ministros del Santo Oficio remedando las acciones que intervienen en los autos de fe, como la lección de las sentencias en alta voz, todo con gran mofa y escarnio.»

El momento del reparto trajo la cizaña entre los

vencedores. De Pointis no estaba dispuesto a dar a los piratas más que la ínfima soldada que tocaba a sus milicianos. Ducasse defendía el reparto con arreglo a las reglas de la bucana. El pleito tuvo un enconado tira y afloja, hasta que De Pointis acabó cediendo cuarenta mil coronas a los piratas para que se las repartieran entre ellos. Era una porción miserable de un pillaje cuyo monto ascendía a cien millones de pesos. Y eso teniendo en cuenta que los cartageneros pudieron poner a salvo un tesoro evacuado a lomos de un convoy de mulas en cuyas alforjas relucía el oro.

En el memorial que De Pointis elevó a su rey se atribuyó el mérito de la operación restando toda importancia al concurso antillano. Aquello suponía una afrenta para el prestigio de la hermandad que tras este golpe bajo inició su dispersión, dejando de ser un peligro para los navegantes. En cuanto a Ducasse, hizo también un memorial de agravios reclamando para sus jenízaros la parte que les correspondía, según sus leyes. El rey fue sensible a este argumento y ordenó un nuevo reparto que, como es obvio, jamás llegó a manos de los piratas. Y por si esto fuera poco, honró a Ducasse con una distinción. Lo que unido a la riqueza de la que se había apropiado, hizo de él un hombre prominente.

El final de Ducasse estuvo cargado de ironía. Del carrusel de alianzas, enemistades y hostilidades que presidía la política internacional en el siglo XVII era dable esperarlo todo. El comienzo del reinado de la casa de Borbón en España trajo la hermandad con la Corte de Versalles. Y entre las deferencias de Luis XIV hacia su nieto Felipe V estuvo la de ofrecerle los servicios de un destacado almirante y profundo conocedor del mundo antillano: Ducasse, quien acabó persiguiendo como alguacil a los mismos que había instigado como inductor.

Con este episodio dejó prácticamente de existir la hermandad filibustera. Pasados muchos años los más ancianos de los habitantes de Portobelo, Panamá o Cartagena tornábanse lívidos a la sola mención de los piratas y del recuerdo de algunos tiempos en los que «unos seres que a duras penas lucían una apariencia humana de tan bestiales y desalmados que eran, vinieron con grande furia a devastar y arrasar unas comunidades mantenidas en el temor de Dios y en el vasallaje al rey de España».

CAPÍTULO IX

NUEVA INGLATERRA ABRE NUEVOS HORIZONTES A LA PIRATERÍA

Desde que en 1584 Raleigh fundara la primera colonia en Roanoke, territorio que bautizaría como Virginia, la ocupación de tierras en la costa atlántica del continente al norte de Florida se fue produciendo de manera paulatina. En 1606 el crecimiento de las comunidades permitió la creación de la Virginia Company, cuyo fin era la sistematización del comercio del Nuevo Mundo con la metrópoli. Su ámbito de actuación abarcaba desde Florida hasta Delaware. Por la misma época empezó a operar la Plymouth Co., cuya sede estaba en Massachusetts. Además de fomentar el tráfico de mercancías ultramarinas, buscaban el asentamiento de familias enteras que fueran célula de nuevas colectividades. Como en la invasión de aquellos anchos terrenos no había el más mínimo propósito misional, ni deseo alguno de confraternizar ni de cruzarse con las tribus autóctonas, éstas poco a poco fueron siendo presionadas por los recién llegados y obligadas a ceder los espacios costeros y retirarse hacia el interior. En 1607 se funda Jamestown en Chesapeake y allí sienta sus reales una nueva empresa mercantil, la London Co. Quedaba demostrado que los planes anglosajones eran más económicos que ecuménicos, de aquí la proliferación de entidades dedicadas a la explotación comercial de las pieles, cueros, maderas y, andando el tiempo, el tabaco, como riquezas inmediatas de las nuevas posesiones.

En 1612 se hizo intensivo en Virginia el cultivo del tabaco y se produjo un importante establecimiento de colonos a quienes se pagaba el viaje desde Inglaterra o Escocia. Aunque predominaban los emigrantes por motivos religiosos, entre ellos había de todo: aventureros, parias, buscadores de fortuna y ex convictos redimidos de galeras.

En 1613 los neerlandeses compraron a los indios por cuatro cuartos el enclave de Manhattan y en 1618 tiene lugar la primera Asamblea Legislativa de Nueva Inglaterra. La extensión de las zonas ocupadas fue el origen, partiendo de Virginia, de Carolina, Rhode Island, Maryland y Delaware, territorios que quedaron, cada uno, a cargo de un gobernador que actuaba con gran autonomía con tal de cumplir los requisitos comerciales exigidos por Londres. La extensión de los cultivos y el *apartheid* impuesto a los indígenas, rechazados hacia tierra adentro, obligó a recurrir al expediente de la trata. En 1619 tuvo lugar la llegada del primer contingente de negros destinados a la esclavitud. La fórmula de trasplantar africanos, acreditada en el Caribe, será utilizada por los anglosajones a tal escala en los estados del Sur, que unida al exterminio de los aborígenes, cambiará el color de la población. En 1620 se produce la llegada del *Mayflower* con su cargamento de peregrinos calvinistas, predestinados a dejar una impronta intolerante por doquiera se extiendan. Aquellos pioneros marcarán un distingo de prosapia en unos descendientes cuyos apellidos, Stuyvesant, Ballantine, Vanderbilt, serán flor y nata de la neoaristocracia americana.

Aquella penetración se fue haciendo a costa de

unas tribus que, hasta el siglo XVII, habían vivido milenios como dueños y señores de un solar inmenso e indiscutido. Eran tribus de talante variable. Sus caracteres somáticos abundaban en el pelo azabache y la piel cobriza, con rasgos muy acusados y aquilinos. Su rupestre forma de vida se diversificaba según su emplazamiento en el continente. Mientras algunos seguían en el neolítico y tenían como única ocupación la caza y la pesca, otros cultivaban la tierra y merced a lo ubérrimo del suelo veían llegar a cada solsticio el milagro perpetuamente renovado de las cosechas de patatas, fríjoles, cacahuey, mandioca y batata, que constituía la base de un sustento hecho de tortillas de maíz, maní y cazabe. Los afincados en la zona del sureste americano, los seminolas, nátchez y cherokis eran belicosos y practicaban sacrificios humanos. Más al norte, los algonquines, hurones e iroqueses se albergaban en los grandes bosques y vivían de la caza del caribú. Otras colectividades como los powhatan y los yuchis trabajaban las pieles de gamo o de castor, repujaban el cuero y cultivaban una artesanía indígena a base de tapetes y cestería. Y quedaban los de las enormes praderas continentales, guerreros unos, artífices del barro y del bejuco, los otros. La mayoría de estas tribus cultivaba prácticas de magia homeopática, presos en el sortilegio de los nombres y adictos al talismán. Ignoraban el brillo de los metales y la forma de la rueda y su mundo estaba lleno de espíritus hostiles o amigos a los que ofrecer el sacrificio ritual, la danza sagrada y la ordalía. Y coronando sus creencias, la sumisión al tótem y el horror al tabú.

El choque con los blancos daría lugar a una larga historia escrita con invasiones sucesivas, engaños deliberados, promesas incumplidas y represalias feroces, porque aquellos puritanos duros y austeros de la primera hora, de ningún modo pretendieron ni la asimilación del indio ni una delimitada y pacífica convivencia. El origen anglosajón de los pioneros de Boston, de Providence o de Salem dio a la conquista el estilo segregacionista propio de su mentalidad de procedencia.

Otra hubiera sido la colonización si el gesto de John Rolfe hubiera tenido seguidores. Rolfe, colono de Virginia, fue adelantado en la perfección del cultivo del tabaco de hebra. Era hombre que ansiaba vivir en paz cuidando sus tabacales y por ello entabló cordiales relaciones con el cacique de los powhatan; tan fue así, que acabó casándose con la princesa Pocahontas, hija del citado cacique. Aquel feliz matrimonio originó unos años de paz y de convivencia que hubieran podido ser espejo para soluciones similares. Desgraciadamente, la gran mayoría de los gélidos y virtuosos compatriotas de Rolfe permanecieron insensibles ante la exótica y sensual belleza de las nativas.

El primer choque grave anglo-indio se produce en 1636. Fue la expedición punitiva contra los pequot, tribu causante de la muerte de un comerciante bostoniano. Las hostilidades, llevadas por colonos armados en unión de indios mohicanos rivales de los pequot, terminó con el aniquilamiento de los indígenas refugiados en Fort Pequot, siniestro acontecimiento del que James Truslow Adams dejó un escalofriante relato. En una época en la que, en Europa, las guerras de religión autorizaban las peores ruindades, nada debe extrañar que los piadosos peregrinos de Nueva Inglaterra fueran animados de las más malévolas intenciones hacia unos indios a los que calificaban de «perros», «diablos» y «salvajes». Aunque habría que discutir si no era mayor salvajismo utilizar la pólvora y el mosquete contra el hacha de obsidiana y la saeta de fresno, aunque fuera emponzoñada.

Durante el siglo xviii, los cherokis de Georgia y Carolina y los delaware de Kentucky se rebelaron contra la conquista blanca. El resultado final de estas sublevaciones venía a ser siempre el mismo: los naturales eran vencidos y obligados a firmar un papel en el cual constaba que «vendían» sus territorios. Esto daba una ficción legal al expolio y tranquilizaba la hipócrita conciencia de los calvinistas. Después se producía la ocupación masiva de las tierras «adquiridas» y la retirada de los indios a posiciones más interiores. Hasta que les alcanzaba la «nueva frontera». Y así, hasta el semiexterminio de las reservas.

Retrotrayéndonos al siglo xvii, en 1643 se crea la Confederación de Nueva Inglaterra, asociación que agrupa las «trece colonias» y reúne una serie de comunidades en las que el distingo es fundamentalmente religioso. Hay calvinistas, baptistas, católicos, episcopalianos, luteranos y algo más tarde llegarán los cuáqueros de William Penn para fundar Pennsylvania.

En 1654 se produce un hecho de gran trascendencia para las colonias y para nuestro relato, toda vez que va a dar pie a un rebrote extraordinario de la piratería. Este hecho es la promulgación del Acta de Navegación, inspirada por Cromwell. He aquí cómo resalta Philip Gosse el alcance de la medida inglesa:

«En 1654 aprobó el Parlamento inglés el Acta de Navegación, cuyo objeto era excluir del comercio con las colonias a todas las demás naciones. España ya había probado la locura de tal restricción; pero, sin embargo, su experiencia no previno a Inglaterra, Holanda y Francia de intentar poner en vigor medidas similares. Estas leyes beneficiaban sólo a la metrópoli y, por lo tanto, eran odiadas por las colonias. Por ejemplo, el Acta de Navegación prohibía las importaciones de Oriente a Nueva Inglaterra, o cualquier otra posesión inglesa en Norteamérica, salvo vía Inglaterra, aumentando su coste enormemente. Los colonos, por lo tanto, se inclinaron a comprar ilegalmente sus mercancías dondequiera que más barato se las ofrecieran, y así apareció una nueva escuela de piratas que por algún tiempo logró gran prosperidad.»

Esta disposición, unida al establecimiento de onerosas cargas fiscales en beneficio de la Corona y a la obligación para el mercado colonial de consumir los productos manufacturados fabricados en la metrópoli, abrió la puerta al contrabando y a la piratería, porque las posesiones ultramarinas se percataron de que para ellas —como afirmó lord Sheffield— Inglaterra no tenía más objetivo que «monopolizar su consumo y transportar su producción y sus abastecimientos».

Para escapar del aherrojamiento que suponían estas medidas, el contrabando —como ya se ha dicho— adquirió gran auge. Y al señuelo de estas restricciones, los últimos filibusteros corrieron a ofrecer sus servicios a los gobernadores de Nueva Inglaterra, quienes vieron el cielo abierto, porque puestos a burlar las leyes, los piratas abarataban el coste de los contrabandistas. Las razones eran obvias: en tanto éstos habían de partir de un precio de compra de las mercancías, los piratas las obtenían de balde y como botín de sus asaltos.

La impopularidad de las medidas británicas fue tal, que la reacción provocada haría de ellas el germen que prendió el movimiento de independencia del que nacerían los Estados Unidos.

Carolina fue uno de los primeros estados que abrió sus puertas a los piratas. Después lo hicieron Rhode Island, Massachusetts y Pennsylvania. Boston, cuya liberalidad hacia los filibusteros fue muy marcada, experimentó un gran florecimiento en su comercio y, por ende, en su riqueza. En general, los

estados tabacaleros fueron los que más jubilosa-
mente celebraron la salida clandestina de sus productos y, desde aquel momento, tal vez no haya habido en la historia del contrabando un medio de
enriquecerse tan sostenido y rentable como el tráfico ilegal de los productos de Virginia o de Vuelta
Abajo.

Otro factor contribuiría asazmente a fomentar
el tráfico ilícito. Era la penuria que padecían los
gobernadores coloniales. Éstos, insuficientemente
pagados por la administración inglesa y frustrados
por no poder mantener el ringorrango de sus cargos, encontraban, gracias a su connivencia con los
piratas, una fuente de ingresos difícil de recriminar
ya que, en este caso, redundaba en provecho de la
prosperidad de sus dominios, oprimidos por unas
leyes desfavorables.

La guerra de 1689 entre Inglaterra y Francia representó una seria perturbación para la buena
marcha de las actividades piráticas sometidas a la
disciplina de la Armada Real, pero la dependencia
de los territorios americanos de las mercaderías y
de la quincalla proporcionada por los bandidos era
tal, que los gobernadores americanos, habituados a
la corruptela, no vacilaron en dar patentes de corso
a buen número de marinos para que, en uso de su
licencia, se dedicaran a desvalijar los barcos franceses doquiera los hallaran. Este privilegio dio origen a una extensión inusitada del campo de operaciones de los nuevos corsarios, quienes partiendo
de bases en Providence o en Boston, llegaron hasta
el océano Índico en sus correrías contra los mercantes franceses.

El apoyo oficial y sin más tapujo que encubrir
como guerra de corso lo que era atraco naviero, fo-
mentó la construcción naval, y de los astilleros
americanos salieron naves diseñadas especialmente
en porte y armamento para los menesteres piráti-

cos, lo que tuvo, entre otras cosas, la virtud de ayudar al progreso de la navegación a vela, pues se botaron fragatas, bergantines, balandras y bricbarcas aptos para la más osada maniobra y capaces de desarrollar velocidades nunca alcanzadas. Piratas, con sus credenciales en regla, pusieron proa a Oriente demostrando que sus cualidades de expertos navegantes corrían parejas con su audacia. Como ejemplo de travesía de altura vale la pena citar el periplo realizado por el capitán Davis que desvalijaba comisionado por un sindicato de Carolina, el cual hizo una circunnavegación que duró cuatro años, llegando desde América hasta el mar Rojo y regresando con sus barcos cargados de marfil, especias, ámbar, mirra, almizcle y diamantes.

Este deslizamiento hacia los mares orientales dio lugar a la creación de un refugio pirático en la isla de Madagascar. Allí, en una ensenada bien a cubierto de intrusiones, las naves filibusteras recalaban en la impunidad, se abastecían de víveres frescos con que desafiar al escorbuto y olvidar los arenques salados; carenaban los cascos y pasaban unas semanas paradisíacas en brazos de las naturales de la isla.

Esta irrupción en las rutas de las Indias orientales reportó un hecho chocante, pero comprensible dadas las circunstancias. En aquel tiempo, la East Indian Company, poderosa entidad creada por los ingleses para monopolizar el tráfico con el continente indostánico, tenía sus naves navegando asiduamente entre Bombay, Calcuta o Madrás y la metrópoli. Los barcos piratas, fletados por los gobernadores británicos de las posesiones en América, apostados en las rutas más frecuentadas, avistaban frecuentemente los buques de la East Indian a los que imaginaban, y no sin razón, ir repletos de valiosas mercaderías. La visión de aquellas naos que flameaban el pabellón británico al igual que los corsarios, era una tentación demasiado fuerte para resistirse a darles el alto. Sobre todo si la captura previa había sido escasa y la tripulación daba muestras de excitación. Y pese a que la patente otorgada especificaba su utilización expresa contra los bajeles que ondearan la bandera francesa, llegado el momento no valía distingo alguno. Las presas menudearon hasta tal punto que la East Indian hubo de rebajar sus dividendos. Entre los piratas árabes que pululaban por el mar Rojo, la furia de los monzones, las tempestades del Índico y los corsarios de América, la Compañía de las Indias experimentó rudamente las consecuencias y tuvo que dar custodia armada a sus barcos ante unos salteadores marítimos que no respetaban ni a su propia enseña.

Fue esta caza indiscriminada y sin respeto alguno para el pabellón británico la que forzó al Gobierno inglés a librar nuevas patentes de corso en las que se ponía como presa a los barcos franceses, pero también se les exigió, usando el argumento de armar a un truhán para que atacara a otro truhán, que reprimiera a los piratas de América que estaban actuando sin escrúpulo alguno en el océano Índico. Como dice Duncan Haws, «la mayoría de los corsarios actuaba simultáneamente como piratas con lo cual obtenía un triple beneficio: inmunidad para sus actos, por parte del gobierno que expedía la patente; los frutos de sus propios hechos de piratería, y una participación en el botín que venían obligados a entregar al gobierno concesionario de la patente».

Fue este triple juego el causante de la desgracia del capitán Kidd, cuya historia constituye uno de los más grandes misterios de la piratería. Ni los testimonios de la época ni las declaraciones propias en el juicio que se le siguió, descubrieron la realidad de los hechos de los que fue protagonista el célebre marino, corsario y pirata. Antes bien, constó como si en el esclarecimiento de la actuación de Kidd se evitara deliberadamente ese paso decisivo capaz de inocentar al culpable, de hacer luz en la sombra.

El origen de la notoriedad de Kidd se produce cuando las extralimitaciones de los piratas de América exigen medidas para combatirlas. El nombramiento del conde de Bellomont como supervisor de las actividades de los gobernadores corruptos, marca el punto de partida de la represión. El noble irlandés ha puesto una condición previa, muy cuerda, antes de aceptar el cargo y es la de que le paguen el sueldo suficiente para poder mostrarse insensible al soborno. Honrado a fuer de rico, Bellomont ordena una vigilancia costera implacable, destituye funcionarios venales y propone el nombramiento de un corsario gubernamental que dé la batalla en alta mar a los piratas desmandados. La propuesta es aceptada y el nombramiento recae en el capitán William Kidd, de cincuenta años, buen marino y que tiene un limpio expediente en sus actividades a las órdenes de su majestad Guillermo III.

El nombramiento se hace con la real venia y el asenso de los políticos *whigs* que están en el poder. Y en las presas que atrape Kidd en su viaje se hará un reparto del botín reservándose una participación para las personalidades que han avalado su designación. La embarcación, llamada *Adventure Galley*, se hace a la mar en mayo de 1696 y, al poco de su salida, captura un bacaladero francés al que custodia hasta Nueva York. Allí deja su presa y se hace de nuevo a la mar.

El paso del *Adventure Galley* se registra en Madeira, Cabo Verde, hasta hacer acto de presencia en Madagascar, lugar de recalada de los piratas que busca. Pero no los halla. Siguen tres meses de navegación hacia la costa malabar sin que la sequía de capturas tenga solución. En aquella zona se cruza con barcos que llevan la contraseña de East Indian y, aunque la tentación es formidable, Kidd se abstiene de toda acción punible. Cuando recala en la isla Johanna el estado de la tripulación es alucinante. Algunos hombres han muerto de disentería y otros están tan famélicos que poco ha faltado para que se devorasen unos a otros. Hay un amotinamiento y Kidd tiene que imponerse matando al más insolente de los revoltosos. Aquello le decide a pasar a la acción. Captura y roba embarcaciones armenias, musulmanas, holandesas y portuguesas, es decir presas que no eran de la naturaleza para la que le habían dado vía libre al saqueo, aunque las armenias llevaban documentación francesa. Algunas llevaban pilotos ingleses y, lo que es peor, mercaderías consignadas a súbditos de Su Graciosa Majestad. La noticia de estas acciones llega a Inglaterra, los comerciantes afectados hacen oír su queja en el Parlamento y una comisión queda encargada de aclarar los límites de la misión de Kidd y los nombres de las personas que lo han avalado.

El desenlace de la encuesta hace de Kidd un proscrito, tras ser declarado pirata. Cuando en abril de 1699 el corsario llega a América, de regreso, se entera de que ha sido puesto fuera de la ley. Marcha a Boston e intenta ver a Bellomont. Ante él presenta sus capturas armenias como prueba de inocencia, dado que ambas naves cargaban con salvoconducto francés. Sin atender a razón alguna, Bellomont lo hace apresar y después de ponerle grilletes y cargarlo de cadenas, lo manda detenido a Inglaterra.

Dos años ha de pasar Kidd encerrado en chirona. En mayo de 1701 compareció ante el Tribunal de lo Criminal en Londres. Él, y nueve hombres más de su barco. Los cargos son: saqueo ilegal y homicidio. El corsario se defiende alegando que las dos naves armenias navegaban con salvoconducto galo y en cuanto a la muerte del tripulante, se disculpa apelando al estado de necesidad en que se encontraba para imponer la disciplina frente al motín. Al solicitarle el Tribunal que mostrara la documentación probatoria que acreditara el origen francés del cargamento, Kidd se ve en la imposibilidad de hacerlo. Los salvoconductos han desaparecido. El Tribunal decide que dichos documentos no han existido jamás y, en consecuencia, le condena a ser ahorcado por piratería. La certeza es que ha sido Bellomont quien los ha extraviado con toda intención.

Kidd fue colgado en el Execution Dock, en Wapping, a orillas del Támesis el 23 de mayo de 1701. Hasta el último momento defendió su inocencia y acusó a otras personas —que no nombró— de llevarle a la muerte. Su cuerpo, encadenado de pies a cabeza, se balanceó junto al muelle durante dos días para escarmiento.

Doscientos años más tarde, un erudito americano rebuscando antigua documentación en el Public Record Office, encontró los salvoconductos cuya ausencia fue el principal cargo contra el capitán de tan triste fin.

Más que de un error judicial, tesis mantenida durante largo tiempo, Kidd fue víctima de una compleja trama destinada a exculpar a quienes patrocinaron su viaje. Esto no excluye la consumación por su parte de algún acto de piratería, cosa normalísima dada la fórmula de «si no pillas, no cobras». Y antes esto que perecer de hambre.

Pero el enigma del capitán corsario, exaltado en historias y baladas, no acabaría con su vida. Un rumor insistente empezó a propalar la existencia de un tesoro oculto, evaluado en más de un millón de libras esterlinas, enterrado por Kidd en el curso de su fatal viaje. La literatura sobre piratas terminó de alimentar esta leyenda, y han sido muchos los ilusos y aventureros empeñados en seguir el itinerario del pirata ahorcado, reconstruyendo sus andanzas y excavando afanosamente en busca de ese presunto tesoro oculto cuyo secreto se llevó Kidd al otro mundo. La lectura del libro de Stevenson *La isla del tesoro* tuvo su tanto de culpa en la alimentación de unas ilusiones vanas.

Personaje muy característico de los piratas de América con reducto en Bahamas fue el celebérrimo Edward Teach, más conocido por «Barbanegra». El remoquete, obvio es aclararlo, se debía a lucir una luenga y pobladísima barba endrina que el filibustero cuidaba con coquetería, rizándola y adornándola con lacitos confeccionados con cintas de colores. Aparte este melifluo detalle de su acicalamiento personal, Barbanegra era un malvado cuyas hazañas sembraron el pánico en las costas meridionales de Nueva Inglaterra.

Había nacido en Bristol y fue llevado a Jamaica en su primera juventud. Embarcóse muy pronto y durante la guerra con Francia hizo el corso con gran aprovechamiento. Su salto a la piratería fue de consuno con el tránsito de la guerra a la paz, como era usual entre los ex corsarios. Teach, en su nueva actividad —que no era tan nueva— demostró tener un ojo muy avizor para las presas. Su primer barco fue el *Queen's Anne Revenge*, cuya presencia depredadora y luciendo la bandera del pirata se hizo notar en aguas de Gran Caimán, de las Leeward. Como era una nave muy marinera y veloz igual se hacía presente en el litoral de Virginia que en el de Honduras. Aquí topó Barbanegra con un personaje curioso, el «mayor» Stede Bonnet, un rico hacendado de Barbados que harto de la monótona vida de agricultor y poseído por una insana pasión hacia el robo, con o sin homicidio, había equipado una balandra con ánimo desvalijador. Ambos se asocian para el delito pues Bonnet es consciente de su bisoñez en tales lides. En la acción, el ex hacendado se revela como un fementido que disipaba su *spleen* contemplando cómo los infelices prisioneros eran arrojados por la borda para ser pasto de tiburones. Barbanegra, por su parte, era un lúbrico de marca mayor y entre sus presas escogía las damas de mejor prestancia para su solaz, dejando para la marinería las menos agraciadas y vetustas. Amaba más la cámara que la cubierta y en aquélla pasaba largos ratos disfrutando de la contemplación de las joyas robadas que guardaba en cofrecillos junto a barriletes de brandy añejo del que era muy amante.

Sus capturas fueron innumerables y ello envalentonó al pirata para dar un golpe sonado sobre la costa de Carolina del Sur, sobre Charles Town. Los piratas desembarcaron en la mayor impunidad, bloquearon el puerto y amenazaron a la ciudad con el fuego de los cañones del *Queen's Anne Revenge*. Tras hacer acopio de rehenes y con la población presa del miedo, extorsionaron mil quinientas libras esterlinas. Después huyeron con el botín buscando refugio en Carolina del Norte donde Barbanegra tenía como protector y socio nada menos que al gobernador Eden, espécimen perfecto del dirigente corrupto que participaba a manos llenas en el reparto de las ganancias del pirata.

Eden, en uso de sus prerrogativas, decretó el perdón de los bandidos fingiendo con ello yugular las actividades delictivas que ya empezaban a inquietar a la comunidad ajena a los manejos del gobernador y demás beneficiarios de las exacciones. Barbanegra, con aire compungido, aceptó el perdón y dio las gracias a Eden, quien, para completar la pantomima y a fin de que el pirata «sentara la cabeza», combinó su boda con una criatura de dieciséis años. Para Teach, el hecho no tenía nada de nuevo. Como era hombre de una novia en cada puerto y alguna más a bordo, anteriormente y en el curso de sus correrías marítimas había matrimoniado, en verdad o en simulacro, trece veces más. Apenas transcurridos unos días del casorio, el villano reveló una morbosa faceta de su libidinosa y vil personalidad. Según explica Daniel Defoe en su *Historia de piratas*, Barbanegra tomó la costumbre de invitar a su casa a media docena de sus adláteres y obligar a su jovencísima esposa a que se acostara con aquellos ruines, uno detrás de otro, mientras él, haciendo de pervertido mirón, disfrutaba contemplando la salaz escena.

Tenía el hábito de piratear demasiado afincado para que la riqueza mal adquirida le disuadiera o le orientara por otras veredas menos punibles. Y seguía yendo a la mar, a operar cerca de las Bermudas, que era ruta frecuentada por las velas que tenían a Pennsylvania o a Chesapeake por destino. Mantenía su base en New Providence para no comprometer en demasía a su protector Eden, sobre el que imponía el ascendiente que le daba el opulento reparto de sus robos. Y el gobernador llegaba hasta el punto de organizar saraos donde Barbanegra alternaba con los hacendados y la gente pudiente que formaban parte del entramado de sus complicidades. Y solía ocurrir que el crápula, siempre dominado por su lascivia, acosara a mujeres e hijas de los notables hasta salirse con la suya, ante la consentida tolerancia de aquellos necios.

Una noticia vino a dar un escalofrío a la euforia del perdis: su antiguo asociado Stede Bonnet, el que gozaba nutriendo a los escualos con carne humana, había sido apresado, conducido a Carolina del Sur y sometido a proceso con un grupo de cómplices. Y después del juicio y de la sentencia de muerte, Bonnet y veintinueve perdularios más colgaban pendientes de una maroma en medio del regocijo general del pueblo, partidario del exterminio de aquella gentuza.

No obstante, Barbanegra siguió impune en sus fechorías convertido en el azote de unos mares en los que el solo anuncio de su nombre hacía estremecer de horror.

Finalmente, el esfuerzo de un hombre integérrimo puso coto a la inconcebible inmunidad de Teach. El gobernador de Virginia, Spotswood, ordenó una expedición para ir a la caza del pirata. Y aunque éste se hallaba en aguas jurisdiccionales de Carolina del Norte, Spotswood autorizó quebrantar el fuero de su vecino, el corrompido Eden. Barbanegra y sus hombres se vieron atacados inesperadamente por un *sloop* mandado por el teniente Maynard portador de la consigna de acabar con Barbanegra. Era el 17 de noviembre de 1718. El abordaje fue terrible, la lucha encarnizada, cuerpo a cuerpo, al arma blanca. Maynard, abriéndose paso a sablazos entre el fragor de la pelea, descubrió a Barbanegra y lo forzó a batirse. El pirata lo hizo con la energía del desespero, pero el teniente, más diestro con el acero, logró herirle y derribarle. Y ya en el suelo, lo decapitó con la rapidez del rayo, de un certero tajo.

Acabada la refriega y desarmados y cautivos los piratas, la corbeta de Maynard entró triunfalmente en el puerto de Bath. Colgando de la punta del bauprés, como un impresionante figurón de proa, venía la cabezota de Barbanegra. Las cintas de su barba eran todas rojas.

CapÍtulo **X**

«MÁS VALE SER CAPITÁN DE PIRATAS
QUE UN SIMPLE HOMBRE VULGAR»
(ROBERTS)

La muerte de Barbanegra representó un rudo golpe
para la piratería americana porque desarticuló la
flota del pirata y permitió que fueran capturados
sus lugartenientes y demás esbirros. La acción de
los gobernadores Spotswood y Johnson fue implacable. En pocos meses centenares de piratas cayeron muertos en combate o, tras su apresamiento,
fueron juzgados y condenados a la horca. El populacho de las comunidades de la costa atlántica,
desde Salem a Chales Town, disfrutó de lo lindo
del malsano espectáculo de las ejecuciones públicas porque en el curso de la historia humana pocas
cosas han apasionado tanto a las gentes como el
contemplar de qué forma hayan de afrontar la
muerte sus semejantes condenados por la Justicia,
no siempre ecuánime, de la sociedad. Y así, entre
aquellos desgraciados se contaban pobres marineros conducidos a la piratería por necesidad, fora-
jidos contumaces e irredimibles, y aventureros que,
a fuerza de amar el riesgo, acabaron pereciendo en
él. Pues bien, sus reacciones ante el patíbulo eran
variables. Unos acogían la soga con ademán de pe-
nitentes, conscientes del tremendo tránsito que les

aguardaba; otros llegaban a rastras, sumergidos en una última borrachera que disipaba la horrorosa sensación de ir a morir; algunos, en un esfuerzo supremo y valeroso, dominaban su terror y saltaban al cadalso para, desde allí, brindar un gesto impúdico a la canalla que se apretujaba, lanzando improperios, para contemplar el ajusticiamiento. Otros, en fin, no desdeñaban la solemnidad del momento para lanzar un discurso acusador contra la sociedad, porque en toda muerte decretada por los hombres debería discernirse siempre la culpa que incumbe al reo de la que toca a la comunidad que lo incubó.

El reducto que quedó a los piratas fue New Providence, como ya es sabido. Pero el nombramiento del capitán Woodes Rogers, de Nassau, como comisionado para la persecución de la piratería, trajo consigo una criba general del archipiélago que no dejó guarida ni cubil sin rastrear. Rogers tenía una brillante historia como corsario y, como ya quedó narrado en el curso de este relato, fue quien rescató del islote de Más a Tierra a Alexander Selkirk, literariamente conocido como Robinson Crusoe.

La caza de Rogers y la negativa a conceder ambiguas patentes de corsario, propiciaron el declive de la piratería amparada en connivencia con gobernadores venales que justificasen su complicidad apelando a las leyes restrictivas para las colonias. Desgraciadamente, el hábito de la expoliación en alta mar era algo tan afincado en la panoplia de delitos de la época que fue entonces cuando la piratería individual alcanzó su máximo esplendor. Baste recordar, como mencionamos en el capítulo VI que entre la Paz de Ryswick, en 1697, y el comienzo de la guerra de Sucesión, en 1701, se produjo un rebrote de las actividades piráticas de inusitado alcance. Sin base fija, esta piratería de libre ejercicio se desbandó hacia las costas de África donde el aumento del tráfico de los barcos negreros de la Royal African Company daba presas de primer orden. Otros operaron por las costas arábigas y malabares, pero todos ellos siguieron gravitando sobre el Caribe, sabedores de que en las Grandes o en las Pequeñas Antillas nunca faltaba una colonia dispuesta a adquirir cargamentos valiosos, ya fueran de mano de obra africana o de mercancías exóticas que, por su rareza, podían tener alto valor.

Es en este período en el que adquieren renombre de figuras dignas de pasar a la historia de la piratería, capitanes como Howard, el hombre del garfio, Snelgrave, el de las patillas en boca de hacha, y Howel Davis, Vane, Tew, Phillips, Swan, Quelch y tantos otros que engrosaron la nómina de una épica de brigantes de agua salada, merodeadores de los mares y cuya vida dio pábulo a mil historias de abordajes, de grescas, de tesoros, historias destinadas a convertirse en relato que alimenta el cuento, la novela de aventuras, hasta llegar al cinematógrafo. Todos aquellos hombres de presa empezaron su azarosa vida gallofeando por los muelles hasta aprender a hacer nudos de encapilladura y, una vez embarcados, a distinguir el foque del contrafoque y a guarnir una vela de estacha. Después venía la navegación de marinero matalote en el mercante; y si no brotaba el motín que convertía la pacífica nave en barco pirata, había que esperar la oportunidad que tenía lugar cuando venía el ataque de un asaltante. Y si no se topaba con la bastardía de un capitán dado a todas las maldades que ponía a los prisioneros como diana para que sus hombres afinaran la puntería o, como vimos en el caso del «mayor» Bonnet, los diera de alimento a los tiburones, lo más probable fuera ser reclutados por unos golfantes orgullosos de navegar bajo el pendón de la calavera, dispuestos al proselitismo hacia una clase de vida que, por más facinerosa que fuera, daba las satisfacciones primitivas de la libertad y del botín: como los guerreros o los cazadores. Sus usos y sus leyes fueron tema del capítulo VI que dedicamos a los piratas puros, sin baldón filibustero ni deslustre corsario. Entre todos estos hombres, que dejaron huella en las páginas de la piratería navegante, vale la pena destacar la historia de tres salteadores cuya personalidad y destino sobresale de la repetitiva y monótona sucesión de reyertas y desvalijamientos, típicos de la delincuencia marítima. Estos tres personajes fueron el legendario Avery, el ínclito Roberts y el quimérico Misson.

Avery o Every nació en Plymouth hacia 1665. Su vida se vio envuelta en una leyenda en la que fue difícil aclarar lo que hubiera en ella de verdad. Lo que sí puede darse como cierto es que Avery o *Long Ben*, apodo que se justificaba por su aventajada estatura, fue un hombre de mar desde su adolescencia. Tras años de navegación en barcos mercantes, figura como primer oficial a bordo de un corsario armado, el *Duke*, cuyo mando ostenta el capitan Gibson. Las necesidades del Gobierno español de contar con navíos aptos para la defensa de los mares caribeños hizo que el *Duke*, junto a otras unidades, fuera alquilado a los mismos ingleses para aquel propósito, aprovechando una coyuntura amistosa entre Londres y Madrid. El *Duke* aparejó en Bristol y puso rumbo a La Coruña y Cádiz, donde había de quedar a la espera de integrarse en una flota en trance de zarpar para las Antillas. Como la espera se hizo larga y la inactividad es mala consejera, y más para unos hombres de mar hartos de rumiar sobre su triste condición de marinos limitados por reales órdenes, pronto nació una conspiración cuya voz cantante llevó Avery como oficial de superior graduación. El descubrimiento de tripulantes en la mejor disposición para amotinarse, fue fácil. Y así lo hicieron, largando velas y desembarazándose del capitán Gibson y de quienes le siguieron fieles, a los que a bordo de un chinchorro hicieron ganar las costas gaditanas, antes de salir a mar abierto.

El *Duke* fue rebautizado como *Carlos II* en maniobra que denota más deseos de despiste que lealtad a los Estuardos, y su primera aparición agresiva se produce en Cabo Verde, donde apresan dos barcos ingleses y un danés, cosa de poca monta dada la carga de madera que transportaban. No obstante, el reparto dio ocho o nueve onzas de oro por barba a los noveles piratas. Siguiendo la costa de la Guinea apresaron a un barco negrero y, tras desvalijarlo, lo dejaron ir con su cargamento de antracita ya que no entraba en sus planes poner rumbo a las Antillas donde hubieran comercializado a los esclavos. Doblaron después el cabo de Buena Esperanza a fin de ganar la isla de Madagascar. Allí hicieron la consabida escala para tomar provisiones y, de paso, confraternizar con los nativos quienes animaron a los forasteros a la poligamia como práctica usual entre ellos. Desoyendo tan tentadoras ofertas los hombres del *Carlos II* pusieron proa al mar Rojo, no sin antes entrar en contacto con dos balandras dedicadas al pirateo por aquellas latitudes índicas. Una de ellas iba mandada por un tal Tew, de Rhode Island, quien llevaba como tapadera una patente de corso contra los buques franceses, otorgada por el gobernador de las Bermudas. La pequeña flota se integró bajo el mando de Avery, quien aseguró que en las costas de Arabia les esperaba opíparo botín. Y cuando emplazados estratégicamente en aguas del cabo Guardafuí, el hombre de la cofa gritó: «¡Vela a la vista!» se tocó zafarrancho de combate. A los primeros disparos del *Carlos II* el navío avistado, que resultó ser de gran arboladura, izó el pabellón que lo identificaba como propiedad del Gran Mogol. Una hábil maniobra de las balandras, flanqueando audazmente la presa, dio buena cuenta de la resistencia hindú. La irrupción de los piratas con las pistolas amartilladas, descubrió la magnitud de la captura. Se trataba del *Gunsway* en el que viajaban, en peregrinación con destino a La Meca, la hija del Gran Mogol, altos dignatarios de su Corte con un elevado número de concubinas y riquísimos presentes en cofres llenos de joyas cuya magnificencia dejó boquiabiertos a los piratas. Pero por poco tiempo. Avery dispuso rápidas medidas: tomó a la princesa bajo su custodia, retuvo a las concubinas y, naturalmente, se apoderó del tesoro. Después permitió que los cortesanos continuaran su piadoso viaje hacia el lugar de peregrinación. Y su flota se puso en ruta hacia la isla de la Reunión donde habría de formarse consejo. Allí, *Long Ben* —que debía de ser muy persuasivo—, tras repartir una parte del botín, convenció a sus consortes de que donde mejor protegido estaría el grueso del tesoro sería en el *Carlos II* por su mayor puntal; a lo que pánfilamente accedieron los demás. Y al cabo de unos días de hecho el transbordo, los hombres de las balandras se encontraron con la desagradabilísima sorpresa de que el *Carlos II*, que la noche anterior estaba anclado a unas brazas, había huido sin dejar huella. La cólera de los burlados no tuvo límites; estalló una revuelta y los hombres acabaron apuñalándose por las odaliscas. Ante aquella ferocidad desatada, muchas se arrojaron al mar. Pero esto no fue lo peor: el Gran Mogol, indignado por el rapto de su hija, amenazó con tomar represalias contra las posesiones de la East Indian Co., a lo que el gobierno inglés respondió dando orden de busca y captura y poniendo precio a la cabeza de Avery y a la de todos sus secuaces, quienes, en aquel momento, navegaban con buena ventolina hacia el refugio malgache.

Es en este crítico instante cuando la certeza se desvanece y da paso a la leyenda. Según ésta sostiene, Avery, sentimentalmente unido a la princesa, desembarcó en tierras de Madagascar, repartió parte del tesoro entre su tropa y vivió feliz el resto de sus días con su pareja, en el olvido de la civilización occidental que a tantas pugnas conduce. Otra versión menos rosada, habla de que el *Carlos II* atravesó el Atlántico e hizo un peregrinaje por las posesiones americanas hasta encontrar un puerto en el que Avery y los suyos, mediante sobornos, lograron eludir el edicto que los ponía fuera de la ley. Allí se dispersaron y algunos se quedaron en América, adoptando un nombre supuesto que los salvó de la persecución. Otros, sintiendo la nostalgia del país natal y el invencible deseo de ostentar una riqueza mal adquirida, cometieron la imprudencia de volver a Inglaterra. Uno a uno fueron siendo apresados y sometidos a juicio ante el Tribunal del Almirantazgo. De los veinticuatro capturados, seis fueron colgados en Wapping y los demás deportados a Virginia.

En cuanto a Avery, la versión más autorizada supone que entró en Irlanda, trasladándose después a Inglaterra donde se hizo pasar por un tal mister Bridgeman, hombre con fortuna adquirida en explotaciones en las Barbados. Para vivir fue malvendiendo las joyas robadas hasta caer en manos de unos comerciantes que, enterados del origen del botín, le hicieron víctima de un vil chantaje. Murió sin que dejara ni para el entierro. A su óbito, alguien descubrió que había sido pirata en su juventud y entre sus presas se contaba una princesa india, menuda, morena y bonita.

Al llegar a la persona de Bartholomew Roberts, la historia de la piratería se enriquece con una de sus más míticas figuras. Era oriundo de Gales, del condado de Pembrokeshire, y reunía las cualidades más sobresalientes del hombre de mar. Era autoritario, valeroso y se imponía tanto por la energía de su carácter como por su sapiencia de las artes de la mar. Como todos los que siguieron un destino parejo, había empezado sus días de navegación desde niño. En el curso de sus largos años de marinero y de marino, surcando los océanos en buques mercantes, su más secreto anhelo había sido llegar al mando de un velero y vivir la piratería como un intrépido capitán. Las circunstancias no habían propiciado su ascenso y así, a sus treinta y cinco años, se le encuentra de maestre en el *Princesa* que hacía la ruta de las Indias Occidentales abasteciéndose de carnes del color del azabache, en Gambia y en la Costa de Marfil. Pero en aquel viaje de comienzos del año 1719, el *Princesa* no pudo llegar a su destino, que eran las islas de Sotavento. Dos barcos piratas lo apresaron y su tripulación no tuvo escrúpulo alguno en pasar a formar parte de la condición de sus apresadores. El capitán pirata era Howel Davis, galés como Roberts, y aunque el paisanaje tuviera su parte, lo cierto es que muy pronto Davis se apercibió de las cualidades de navegante y del carácter entero y firme del nuevo recluta. Roberts había entrevisto la llegada de su tan esperada oportunidad, y a fe que no se hizo esperar. Semanas después, a la altura de la isla de Barbuda, se dio el alto a una fragata que ondeaba la enseña de los Países Bajos. El navío, lejos de asustarse, presentó combate y orzando con maestría eludió la caza de que era objeto. El episodio no hubiera tenido mayor alcance de no ser porque una bala de cañón hizo pasar al capitán Davis a mejor vida. Planteóse de inmediato el nombramiento de nuevo jefe. Los candidatos no eran escasos, todos tipos duros y coriáceos, pilotos, cabos de mar, compañeros de Davis y que, en apariencia, tenían todas las de ganar ante un recién llegado como Roberts.

Reunido el consejo, uno de los elegibles, de nombre Dennis, se dirigió a la asamblea con estas inesperadas palabras:

«Como quiera que sea, yo opino que ahora que nos hallamos sobrios debemos proceder a la elección de un hombre de coraje y práctico en la navegación, que por su entereza y bravura sea el más capacitado para defender nuestro bienestar y que, además, sepa librarnos de los peligros y las tempestades de los elementos y de las consecuencias fatales de la anarquía; y tal hombre yo lo reconozco en Roberts. Un hombre, en mi sentir, digno en todos los respectos de vuestra estimación y apoyo.»

El asenso a estas sabias palabras fue casi unánime. Tan sólo un contramaestre, llamado Sympson, por tener sus propias pretensiones, manifestó su desacuerdo barbotando unas maldiciones que fueron acalladas por la mayoría. Roberts, sin inmutarse y dando pruebas de su indudable temple, respondió a aquella prueba de confianza con estos términos:

«Puesto que ya he hundido mis manos en el agua turbia pero fascinante de la piratería, acepto el cargo pues siempre es más honroso ser comandante de piratas que un simple hombre vulgar.»

Habían bastado seis semanas —el tiempo que llevaba Roberts en su nuevo oficio— para que aquella ralea se percatara de unos merecimientos que no tardarían en acreditarse.

Roberts izó su insignia en el *Royal Rover*, una nave muy velera, y prontamente sus lobos de mar tuvieron que reconocer que el nuevo capitán era un pájaro extraño, disonante en usos y costumbres del arquetipo expuesto en la galería de famosos de la piratería. De entrada, Roberts no bebía más que té. A las ocho de la noche ordenaba el toque de queda y dejaba los fanales a media luz. Las francachelas en cubierta quedaban prohibidas y como odiaba los juegos de azar no toleraba chirlotas en las que se hiciera uso de la baraja, fuente de pendencias y ruinas. Negó la entrada de mujeres a bordo traídas por sus hombres, y a las que eran hechas prisioneras las rodeaba de miramientos y protegía del acoso de los sátiros. Y, si por si acaso, tenía noticia de que alguno de aquellos tipos de pelo en pecho de su dotación había sido sorprendido en «pecado nefando» con algún efébico paje o grumete, se le aplicaba la «calada», forma de castigo consistente en amarrar al culpable y suspenderlo de un aparejo guarnido al penol de una verga para, después, arriarlo bruscamente haciéndole caer al mar. Y cuando el sujeto había experimentado las angustias de la inmersión, se le izaba repitiéndose el remojón tantas veces como hubieran sido ordenadas por Roberts. Sin embargo, toda su dureza se estrelló a la hora de exigir la sobriedad de que él mismo hacía gala. Sus esfuerzos por poner coto al exceso de libaciones fueron totalmente baldíos.

A cambio de este insólito ascetismo, Roberts demostró ante sus hombres tener un olfato finísimo para las presas, y una palabra fiel para cumplir las estipulaciones pactadas en cuanto a botín. El pirata inició sus operaciones situando su nave en la ruta de los buques portugueses que desde Brasil zarpaban para Lisboa. Y con gran audacia llegó hasta la embocadura del puerto de Bahía y entre las naves allí apostadas eligió para abordarla una de gran porte, de la que sustrajo un riquísimo botín consistente en azúcar de caña, copaiba, ipecacuana y cuarenta mil monedas de oro brasileiras. De allí fueron de arribada a la isla de Asunción, donde el pirata concedió unos días de asueto a sus hombres.

Más adelante, su paso se registra por Barbados, Martinica, Nevis... En estas latitudes se ve obligado a afrontar duros encuentros con naves de aquellas

154

islas. Y de no ser por su destreza marinera, la carrera de Roberts hubiera tenido mal fin, ante el vapuleo padecido. De estos combates le quedó un esquinado resentimiento contra todo lo que procediera de las islas citadas. Y más de un marinero o viajero, capturado al azar de los asaltos, pagó con su vida al confesar ser originario de Barbados o Martinica. En esto el pirata demostró una fría crueldad chocante con los matices de su compleja personalidad de sujeto respetuoso con las damas y hasta temeroso de Dios, pues entre el personal resultante de sus capturas cayó en su poder un sacerdote a quien el pirata ofreció se quedara de capellán en su barco para que oficiara la Santa Misa ante una feligresía compuesta por canallas del más vario jaez. El cura creyó más prudente declinar la oferta cuando se le preguntó por la fortaleza de sus puños, ya que no era de excluir la posibilidad de que tuviera que defender la continuidad del Santo Sacrificio repartiendo mamporros entre los guajas empeñados en importunarle.

Su carrera de latrocinios continuó por las costas de América del Norte, haciéndose notar hasta en las de Terranova. Sin importarle la mar gruesa ni las borrascas del tenebroso océano, Roberts siguió apresando navíos que atesoraban una valiosa estiba de pieles, tabaco, nácar, acuñaciones en oro y plata que valían un dineral. Su instinto y la información que recogía en los barcos que robaba, le orientaban sobre los mejores puntos en los que desprenderse del botín con el menor riesgo posible, bocales y ensenadas en lugares recatados de Trinidad, Jamaica o Puerto Rico.

La nombradía de Roberts y el eco de sus despojos llegó a tal extremo que los barcos pesqueros que columbraban su pabellón, siempre ondeando en el tope del palo mayor, ponían proa al puerto más cercano para denunciar la cercanía del pirata.

Y ya fuera en las Bermudas o las Bahamas, las villas se aprestaban a la defensa y desde baluartes y barbacanas se apuntaba a la primera silueta velera que se recortara en el horizonte.

Ante esta peligrosa presencia, que contaba sus asaltos por éxitos, el tráfico ultramarino se hizo inseguro y Roberts se convirtió en pesadilla de gobernadores. Barruntando el peligro, el pirata fue en busca de otros cuadrantes. Su nuevo campo de operaciones se situó en las costas de África y su objetivo fueron los barcos negreros. El rentable tráfico seguía en pleno auge en el siglo XVIII y la demanda de esclavos estaba lejos de decrecer ante las exigencias de cafetales y tabacales. Roberts, con los cargamentos robados, competía ventajosamente con los traficantes y disponía de medios y ayuda para introducir clandestinamente su mercancía de color allí donde hubiera mayor solicitud.

Cuando había que asumir el riesgo de entablar combate ante una presa rebelde o ante el acoso de un buque artillado, Roberts —tal y como lo pintaban las litografías de la época— se ponía sus mejores galas, casaca de damasco, calzones de seda y bicornio emplumado; y con el catalejo al alcance de la mano dirigía el combate sin vacilar. Y en el fragor de la lucha destacaba su atronadora voz gritando: «¡Ah de la proa! ¡Orza todo! ¡Arría escota!» Y a las órdenes de navegante seguían los mandatos de artillero, dirigiendo el fuego de las carronadas o las andanadas de los morteros. Su tino para la maniobra y su intuición para sacar el mejor partido táctico de vientos y vendavales le permitieron librar innumerables combates victoriosos y saquear, durante tres años, más de cuatrocientos mercantes.

Llegado a un punto de su existencia, Roberts había colmado todas sus aspiraciones. Tenía un soberbio navío —el *Royal Fortune*— que era orgullo y prez de su capitán. Había sabido rodearse de unos cofrades que le respetaban y estaba en condiciones de proporcionarse los gustos que su ascética y, en algunos aspectos, sibarítica personalidad pudiera desear. Tenía un cocinero que se daba buena maña para agenciarse o apropiarse de lo preciso para guisarle un *welsh-rabbit,* de cuando en cuando. Y para satisfacer una de sus más íntimas aficiones había retenido a tres músicos capturados en un apresamiento. Y por más que el terceto de virtuosos no daba abasto a tocar las canciones procaces que le eran solicitadas por la tripulación, y que ésta coreaba a pleno pulmón, reservaba ciertas horas para dedicar alguna gavota o jiga a su patrón, en obsequio a su melomanía.

Pero aquella racha depredatoria que había hecho de Roberts el terror de los mares no podía prolongarse indefinidamente. Roberts cometió el error de dañar los intereses de la Royal African Company, entidad que como su nombre indica era un feudo de la Corona británica. Aquel error había de serle fatal. Dos barcos de guerra especialmente equipados para luchar, zarparon de Nassau con la consigna de acabar con el pirata donde lo hallaran. El H.M.S. *Swallow,* mandado por el capitán de fragata Chaloner Ogle, fue quien primero avistó al *Royal Fortune,* en aguas de las Parrot. Fue en la amanecida del día 10 de febrero de 1732. Roberts estaba desayunando y, sin perder la compostura, terminó su taza de té acompañada por una ración de encurtidos. Se enfundó su atuendo de gala y dispuso a vender cara su vida. El combate duró dos horas de furioso cañoneo y muy otro hubiera sido el resultado de haber estado los hombres de Roberts en perfectas condiciones de batirse. Aquella hora tan tempranera encontró a la mayoría bajo los efectos de una resaca imponente. El *Swallow* afinó su tiro y un metrallazo alcanzó a Roberts y le partió la yugular. Cayó como un almirante, vistiendo su casaca de damasco rojo. Su cuerpo, ataviado con su uniforme de gala, fue arrojado al mar en cumplimiento de lo que eran sus últimas disposiciones. Un tripulante se apresuró a echar por la borda la enseña del pirata con el vano propósito de hacer desaparecer la pieza de convicción.

El capitán Ogle recibió el reconocimiento real por haber librado a Inglaterra de aquel azote del océano. Fue ascendido a comodoro y ennoblecido.

El proceso que se incoó a los sobrevivientes del *Royal Fortune* —que fueron todos ahorcados en Boston— permitió conocer a fondo la organización y la personalidad de aquel asceta del bandidaje. Y lo que sorprendió mucho fue aquella debilidad por la buena música, esa que le hacía recrearse al tiempo que el terceto de a bordo —flauta, laúd y violín— interpretaba dulcísimas sonatas en esos momentos de calma en los que el sereno navegar provoca una indefinible melancolía.

Capítulo XI

MISSON O DE CÓMO LOS BUENOS FINES PUEDEN ESCOGER LOS PEORES MEDIOS

Al disponernos a narrar la vida de Frederick Misson, el escenario para el primer acto hay que situarlo en tierras de la Provenza, lejos del habitual vivero pirático en las costas meridionales de Albión. Misson no es carne de sollado ni tiene vocación de perdulario. Procede de familia acomodada y ha sido educado en las buenas maneras y en el conocimiento de las matemáticas tanto como de las humanidades. El proyecto familiar es encauzarlo hacia la carrera de las armas y, ya en ellas, procurar su ingreso en los mosqueteros, aquella compañía de gentileshombres que creara Luis XIII y que, posteriormente, tanto Richelieu como Mazarino convirtieron en élite a su servicio. Y con este propósito fue enviado a la Academia Militar de Angers.

Pero el rapaz no se veía a sí mismo vistiendo la dalmática de aquella tropa de espadachines, fanfarrones, instrumento de intrigas palatinas o fuerza de choque en las guerras que el reino de Francia sostenía con sus múltiples enemigos en la disputa por las marcas del Este. Misson se reveló como un ávido lector al que apasionaban las narraciones que hablaban de nuevos horizontes, de tierras lejanas y exóticas. Llegado el momento de tomar una decisión que comprometiera su futuro, el joven Misson se hizo fuerte en su vocación viajera. La existencia de un próximo pariente, marino, capitán de la fragata *Victoire*, fue decisiva. Con el permiso paterno en el bolsillo, Misson pasó a formar parte de la tripulación de la fragata, a la sazón fondeada en el puerto de Marsella. Su destino se había sellado.

Sus tiempos de aprendizaje se consumieron en navegaciones por el Mediterráneo, asimilando sus nuevos menesteres con una celeridad tal que el capitán Fourbin, que así se llamaba el familiar, le encargó muy pronto del cambio de ampolletas y hasta de la guardia del primer cuartillo. Fueron viajes que le llevaron de Levante a Poniente en travesías que le reafirmaron en su vocación. Una escala en Nápoles iba a representar la entrada en su vida de un personaje decisivo. La necesidad de carenar el *Victoire* daba amplio plazo a su amarre y Misson, con la venia del capitán, quiso cumplir un deseo que casaba con su espíritu creyente: viajar a Roma, capital de la Cristiandad.

La Roma de comienzos del siglo XVIII se desenvolvía bajo el largo papado de Clemente XI. La resaca del Renacimiento estaba patente en el frenesí vital, en la ostentación de unos vicios que se exaltaban como grandes virtudes. En los clérigos era notoria su falta de recato al revelar sus amoríos. Los hermanos menores no ocultaban su hábito de la fornicación. Otros cultivaban la picaresca haciéndose acompañar por falsos ciegos o fingidos tullidos y, ante la plebe reunida para la ocasión, simulaban milagros devolviendo la salud a los inválidos para luego vender a los incautos ungüentos mágicos de infalibles dotes curativas tocados por la reliquia de san José de Capistrano. Historias antañonas y verídicas, como la del preste Nicoló de

Pelegati, que tras decir su primera misa mató a cuatro hombres y contrajo matrimonio con dos mujeres que luego le acompañaban en sus correrías ayudándole en raptos y violaciones, circulaban admirativa y elogiosamente. Misson, que había sido educado en las virtudes teologales, tropezó con una realidad de relajo capaz de sumir en la mayor de las confusiones. Para colmo, en la propia Ciudad Eterna encontró y trabó amistad con un tipo raro, un fraile dominico, disoluto y goliárdico, en quien en ningún caso el hábito hacía al monje. Su nombre era Giovanni Carracioli y no había figón ni mancebía a orillas del Tíber en el que no fuera conocido y celebrado. Llevado a profesar por imperativos familiares, no sentía vergüenza alguna en alardear de su temple respondón y putañero. Y en más de una ocasión habíasele visto repartir estocadas en una refriega con una donosura que para sí hubieran querido muchos consumados sablistas.

Carracioli se convirtió en inseparable de Misson a quien, gracias a la tercería del fraile, no le quedó cortesana por frecuentar. Conocidas estas inclinaciones, tan poco acordes con la tonsura, Misson le propuso colgar los hábitos y marchar con él a Nápoles donde el *Victoire* estaba con los obenques tensos esperando las brisas para hacerse a la mar. Y con la recomendación de Misson, Carracioli trocó el sayal monástico por la tela marinera.

La amistad entre aquellos dos hombres, el desencanto sufrido por Misson en su contacto con una cierta realidad romana, daban tema sobrado para que cuando las tareas de a bordo daban un momento de asueto, Misson y Carracioli, acomodados entre el matalotaje, se entregaran a largas conversaciones. En ellas, el ex fraile llevaba la voz cantante y aprovechándose de su mayor edad y experiencia daba suelta a un discurso en el que se ex-

161

tendía sobre las injusticias del mundo, sobre las desigualdades entre los seres y sobre la esterilidad de la religión que, incapaz de aplicar la Justicia Divina, quedaba sólo como freno a los pusilánimes. Para el monje renegado, el mundo estaba tan torcido y maleado que sólo una nueva sociedad en la que los hombres hermanados pudieran vivir a su antojo estaría de acuerdo con los propósitos del Ser Supremo, que —según él— no había creado al hombre para la servidumbre ni para la desigualdad.

Estas ideas, de un deísmo muy del siglo XVIII, deslizadas con el acaloramiento proporcionado por unas copas de Falerno o de Lácrima Christi, caldos a los que el ex siervo de Dios era muy aficionado, penetraban en el cerebro de Misson que, ingenuamente, era presa cómoda de la palabrería del perillán. El cabotaje discurría sin novedad, de Heraklion a Alejandría y de Trípoli a Marsella, y tanto el joven marino como su amigo revelaban su acomodo a la vida marinera, por más que Carracioli echaba de menos, según sus propias manifestaciones, a las mozas romanas con las que acostumbraba a holgar. El encuentro con dos faluchos turcos armados, que en gesto inamistoso agredieron al *Victoire*, requirió adecuada respuesta del francés que navegaba desprevenido. La escaramuza, que acabó en huida de los otomanos, hizo destacar a Misson por su intrepidez y coraje, comportamiento que mereció todas las alabanzas dada su bisoñez en estos trances. Pero en aquel entonces la guerra de Sucesión enfrentaba a Francia con Inglaterra y por esta razón el *Victoire* recibió órdenes de navegar a La Rochelle donde sería rearmado y provisto de las obligadas credenciales de corsario. Entretanto, Misson y su inseparable fueron trasbordados al *Triumph*, un navío listo para hostigar el tráfico inglés en el canal de la Mancha.

Hechos a la mar, su primer encuentro con el enemigo se produjo a la altura de Guernesey. El enemigo era una corbeta, el *Mayflower*, armado con dieciocho cañones. El capitán Fourbin maniobró hábilmente sorteando las salvas del adversario que fueron levantando castilletes de agua en su derredor, mientras que una del *Victoire* alcanzó la tajamar del *Mayflower* dejándola hecha una lástima. La caída de la noche impidió rematar la acción, perdiéndose el contacto con el enemigo que, con todo y hacer aguas, pudo acogerse al abrigo de las costas de Cornwalles.

En este nuevo encuentro viose a Misson en el alcázar de popa desafiando al peligro con inaudita valentía. Esto, unido a los conocimientos náuticos que asimilaba a la perfección, le estaban granjeando una muy alta estima entre aquella tropa de bretones, vendeanos y armoricanos que constituían la tripulación del *Triumph*.

Regresados a su base de La Charente, la próxima comisión llenó de alborozo a Misson: volvería al *Victoire* y el barco saldría con destino a Guadalupe y Martinica, con la orden de hundir todo bajel que enarbolara el pabellón de San Jorge. Un nuevo y estimulante capítulo se abría en la vida de Misson y del inevitable Carracioli, su compañero de fatigas.

Con el Atlántico por delante, las peroratas entre ellos se reemprendieron. Y poco a poco iba tomando cuerpo la idea de crear una sociedad perfecta, unida por los lazos de la libertad, la igualdad y la fraternidad. Pero, ¿dónde?, ¿cuándo? La existencia de lugares inexplorados de clima dulce y naturaleza pródiga se juzgaba como el emplazamiento ideal para crear una comunidad lejos de la soberbia del poder, de la avaricia del dinero y de la envidia de la propiedad, pecados capitales culpables, en opinión de Carracioli, de opresiones, guerras y

163

demás iniquidades que eran origen del mal y fermento del crimen. El entusiasmo que paulatinamente se apoderaba de aquellos dos utopistas hizo que sus ideas empezaran a ser difundidas, como buena nueva, entre la tripulación.

Los días de navegación atlántica discurrieron sin vislumbrar enemigo alguno hasta que, a punto de avistar la Martinica, se toparon con un buque británico, el *Winchester*, que al menos desplazaba ciento cincuenta toneles. El combate que se entabló fue durísimo. El *Victoire*, encuadrado por los cañonazos del enemigo, parecía tener las de perder. Como reeurso supremo el capitán Fourbin dio la orden de abordaje. Misson y otros marineros, entre ellos Carracioli, descendieron por el escotillón bajo cubierta en busca de picas, rezones, bicheros y demás trebejos para abordar, en el momento en el que una tremenda explosión barrió el castillete de popa matando a cuantos allí alentaban: entre ellos al capitán Fourbin. La respuesta del *Victoire* fue de lo más afortunada. Un proyectil certero hizo impacto en la santabárbara del *Winchester* que voló por los aires hecho trizas. No hubo supervivientes.

La muerte del bravo capitán Fourbin y de dos oficiales, planteó abruptamente la sucesión en el mando. Convocóse a toda la tripulación, y salvo los que estaban al cuidado del cirujano, todos formaron en cubierta como un solo hombre. He aquí cómo describe Gosse en su *Historia de la piratería* la escena que siguió:

«En primer lugar el signor Carracioli dio un paso adelante y dirigiéndose a Misson, en un largo y elocuente discurso, le invitó, bajo su propia responsabilidad, a hacerse capitán del *Victoire*. Le exhortó para que "siguiera el ejemplo de Alejandro Magno y de los reyes Enrique IV y Eduardo VI de Inglaterra. Le recordó cómo el gran Mahoma, con sólo unos cuantos hombres a camello, fundó el Imperio otomano y cómo Darío, con un puñado de compañeros, se apoderó de Persia''. Inflamado por esta arenga, el joven Misson aceptó el nombramiento... El éxito de la proclama del ex dominico fue completo. Los marineros enardecidos prorrumpieron en gritos de "¡Viva el capitán Misson y su lugarteniente Carracioli!''.

»Misson dio las gracias en breves y sencillas palabras, prometiendo hacer como comandante cuanto le fuera posible en beneficio de la naciente república marinera...»

Apresuráronse después a romper las patentes de corso, último documento que los unía a un estado de cosas que repudiaban y cuando alguien pronunció la palabra «piratas», Carracioli saltó como movido por un resorte y lanzó la siguiente soflama: «Nosotros no somos piratas sino, sencillamente, hombres que actúan en nombre de la Libertad que Dios y la Naturaleza les habían concedido. Y por eso es llegada la hora de sacudir el yugo de la tiranía y de acabar con la opresión y la pobreza...» Y finalizó diciendo que sus vidas debían consagrarse a la causa de la libertad y que su insignia no sería la consabida bandera negra, sino una blanca en la que se inscribiera: «Por Dios y la Libertad.» La ovación que siguió se mezcló con los gritos de «¡Abajo la tiranía! ¡Somos hombres libres! ¡Libertad, libertad! ¡Viva el capitán Misson! ¡Viva Carracioli!»

La república pirático-idealista tenía ya su casa a flote y bajo la capitanía de Misson, convertido en adalid de las más avanzadas teorías libertarias, prosiguió su ruta antillana decididos al robo, pero con el mayor respeto hacia las vidas humanas en demostración, una vez más, de que los más elevados fines no reparan en lo más ilegal de los medios con tal de alcanzar sus propósitos.

Su primer encuentro fue con una balandra inglesa. El capitán Butler, que estaba al mando de la embarcación, no salía de su asombro al columbrar por su anteojo de larga vista el pabellón inmaculado que ondeaba en el *Victoire*. El encuentro fue frente a las costas de St. Kitts y el inglés, sintiéndose en inferioridad ante la artillería del otro, se puso al pairo y no ofreció resistencia al ingreso en su barco de los hombres de Misson. Éstos limitáronse al embargo de un par de pipas de ron y algunas arrobas de azúcar que les hacían mucha falta. El capitán Butler seguía atónito ante el candor de aquellos asaltantes que no habían hurgado en faltriquera alguna ni proferido amenazas. Y cuando abandonaron la presa en una almadía, hizo formar a su gente y prorrumpir en tres vigorosos «¡Hurra!» en honor de tan insólito comportamiento.

A renglón seguido, el *Victoire* fue en busca del paso por barlovento de Jamaica, ruta frecuentada por las naves con cargo de mercaderías hacia Europa. Allí apresaron a un corsario inglés, aprovechándose del mal estado de su tripulación, en completo estado de ebriedad, y pusieron rumbo a Cartagena. Los éxitos habían acrecentado la osadía de Misson; y bien que lo demostró entablando combate con dos mercantes armados neerlandeses que, sorprendidos por la astucia del pirata generoso, no atinaron a sacar partido de su superioridad. A uno de ellos, un certero cañonazo en la línea de flotación le hizo hundirse en un santiamén. El otro fue confiscado con todo un rico cargamento de brocados, galones de oro y plata y pasamanería. Misson hizo fondear frente a Boca Chica y desembarcó en la plaza en una falúa. Allí compareció ante el gobernador y le ofreció el género incautado a muy buen precio. Y como entre las simpatías del poncio no se encontraba el reino de Holanda, se apresuró a autorizar la venta al saber el origen de la mercancía. En cuanto a los holandeses supervivientes,

Misson los puso en libertad acompañando este gesto con toda clase de excusas y ofreciendo un responso por los muertos.

En todas las acciones, los tripulantes del *Victoire* aprovechaban la ocasión para hacer proselitismo, divulgando los propósitos libertarios que los guiaban. Si era necesario, Carracioli apoyaba las propuestas con tópicos contra la aristocracia y la clerecía, de seguro efecto sobre los marineros. Y así, las adhesiones iban engrosando la nómina de mesiánicos cuya internacionalidad la proclamaban ingleses, portugueses y flamencos.

El *Victoire*, después de tan prolongada navegación, estaba necesitado de limpiar fondos. Misson abordó la costa septentrional de Cuba en busca de una playa donde varar y escorar la nave, a fin de rascar y ensebar un cascarón repujado por la huella de las muchas millas marinas navegadas.

Fue el momento elegido por Misson para reunir a sus hombres en consejo. Se trataba de decidir el nuevo rumbo de sus andanzas. Dos fueron las opiniones que reunieron mayor asenso. Unos, con más resabios piráticos, propusieron zarpar con destino a Nueva Inglaterra en cuyas costas de Maryland o Virginia se auguraban buenas presas. Otros, los más idealistas, se inclinaron por ir en busca del paraíso prometido que, por las referencias habidas, debía de encontrarse en algún lugar del Índico. Y como esta última opción lograra la mayoría, el *Victoire*, con víveres en la gambuza para cuatro meses, puso rumbo sursureste donde debía de estar el continente africano.

Tras de sesenta días de navegación y temporales de olas gigantescas ante las que no quedaba más recurso que encomendarse a san Borondón, el *Victoire* avistó una costa que, según todos los indicios, debía de ser la de Guinea. En aquellas latitudes se toparon con un velero holandés, el

Nieuwstadt, matriculado en Amsterdam, al que redujeron a las primeras de cambio con argumentos artilleros. Este apresamiento dio oportunidad a Misson de poner en práctica alguna de las más justas y humanas ideas del credo que los inspiraba. El *Nieuwstadt* transportaba un cargamento de esclavos negros con destino a Curaçao. Ante la visión de la sentina atiborrada de seres humanos hacinados y en lastimoso estado, Misson, en presencia de apresadores y apresados, pronunció estas nobles palabras:

«El comercio de nuestra propia especie nunca puede ser bien visto por la Divina Providencia. No hay nadie entre nosotros que tenga el poder de libertad sobre los otros. En los tiempos paganos, antes de la llegada de la Luz, habían hombres libres y hombres esclavos. No fue para perpetuar esta miseria que Él fue enviado a esta tierra y nosotros, en este siglo xviii de la era cristiana, debíamos haber aprendido a no perpetuar este infierno... Esos pobres seres se distinguen de los europeos por el color, por las costumbres y por los ritos religiosos, pero ellos son también hijos del mismo Hacedor Omnipotente, por lo que deben ser tratados como si fueran hermanos nuestros...»

Y dicho esto los liberaron de los grillos prometiéndoles desembarcarlos en la tierra africana de la que habían sido arrancados. Pero antes de llevar a cabo esta benemérita acción, Misson tuvo que hacer frente a un foco de indisciplina fruto de la heterogeneidad de los elementos que las sucesivas presas habían enrolado bajo la atractiva bandera de la libertad. Entre ellos, como no podía ser de otra manera, abundaban sujetos díscolos, provocadores y blasfemos. El idílico clima fraguado en los inicios de la aventura se deterioraba a ojos vistas entre reyertas y reniegos de lo más irreverente. Misson, con harto dolor, entendió que la más fraternal e igualitaria de las sociedades no puede pasarse de cortar la mala hierba cuando amenaza turbar la general armonía. Y comprendiendo que sus humanísimas ideas se iban al garete sin un puño de hierro que las salvaguardase, decretó que todo aquel que promoviera un altercado y aun los que fueran sorprendidos blasfemando o imprecando, serían castigados con la pena de flagelación, propinándoseles cincuenta azotes. Y en el caso de los recalcitrantes, el castigo se adobaría con una rociada de salmuera capaz de hacer entrar en razón al más juramentoso. Los efectos fueron inmediatos.

En la costa de Angola, Misson pudo cumplir la promesa de libertad hecha a los negros del *Nieuwstadt*, quienes, no sin pena, dejaron el amparo de aquellos blancos humanitarios capaces de compartir el pan y la sal con sus hermanos de color. Muchos argüían que preferían blanco conocido a negro por conocer, pues de caer en manos de una tribu rival lo más seguro es que fueran víctimas de una escabechina general. Aunque Misson sabía que la hermandad de raza entre blancos, negros o amarillos no garantiza ni la vida ni la integridad, su buena fe y su confianza en el Ser Supremo le inclinaban a creer que su hidalga acción no podía tener un desenlace siniestro. Y pese a sus súplicas desembarcó a los africanos de quienes, como es obvio, nada más se supo.

La cercanía del cabo de Buena Esperanza y de una nueva y larga singladura, aconsejó buscar un refugio costeño, echar el calabrote e ir en demanda de provisiones. La impaciencia de la tripulación, con el pensamiento puesto en la tierra de promisión, era ya irreprimible. Y poco faltó para que todo se frustrara cuando el *Victoire*, que se había puesto en facha, se vio atacado por un barco inglés en el momento en que sus hombres se estaban dando un festín de caballa recién pescada. El británico, sabedor de su ventaja, navegaba recto al abordaje. El tremendo topetazo entre las dos embarcaciones hizo que crujieran las cuadernas del *Victoire*, sacudidas por el espolón del adversario. Ni las detonaciones ni el ruido de los aceros ahogaban el griterío general, entre el espanto de la contienda. Misson y Carracioli, olvidando sus fraternales principios, repartían mandobles a diestro y siniestro. El capitán inglés luchaba como el mismísimo demonio y, en su arrojo, quería ser el primero en poner su planta en el *Victoire*. Cuando estaba a punto de lograrlo, un arponazo le atravesó de parte a parte. Aquello decantó la incierta lid. Misson se empeñó en rendir un último tributo a su adversario y ordenó le dieran cristiana sepultura. El carpintero de a bordo talló una cruz con la siguiente inscripción: «Aquí yace un valeroso marino inglés.» Después puso en libertad a los supervivientes en un lugar de la costa dejándolos al cuidado de sus heridos. Previamente había hecho, como de costumbre, un llamamiento a los que quisieran asociarse a su empresa, a lo que muchos, ante el albur de ser pasto de alimañas en un paraje desconocido, prefirieron dar una respuesta positiva. El hecho era más de agradecer por cuanto Misson había decidido apropiarse del navío que tan difícil trance le había hecho pasar. Y como los dos barcos estaban en estado de navegar, se hicieron a la vela rumbo al cabo de Buena Esperanza. Carracioli asumió el mando de la captura aunque Misson, para estar más tranquilo, le puso de segundo al mejor piloto de que disponía. Tenía muy claro que la elocuencia nada tiene que ver con el arte de navegar.

Impulsadas por un viento frescachón, las naves de la ilusión ácrata se dispusieron a doblar el punto más austral del continente negro. Y cuando ante ellos apareció la anchura del Índico, la imaginación de todos alcanzó su punto de inflamación. Allí, en alguna isla perdida, iba a establecerse el imperio del «todos para uno y uno para todos». Para aquellos galopines, para Pedro *el Trasquilado*, para Juan *el Renco*, para José *el Bisojo*, para Bartolomé *el Patapalo*, para todos los marineros de «la nave de los locos» —como alguien bautizó al *Victoire*— se acercaba algo tan maravilloso cual es la realización de un sueño de libertad.

La isla de Johanna fue el punto elegido. Los expedicionarios, con Misson al frente, desembarcaron en son de paz. La acogida de los naturales fue cordial a todo serlo. Tras el consiguiente obsequio de quincalla y de pasamanería, la intervención de los ingleses, en calidad de intérpretes, facilitó la comunicación. En aquel marco, rodeado de un mar azul turquesa, acotado por blancas playas y arrecifes coralinos, bajo el incesante volar de las aves marinas y la sombra de los cocoteros, la vida exigía poco para seguir siéndolo: una cabaña, caza y pesca y unos frutales al alcance de la mano. El lugar era ideal para poner las bases de la utopía. La confraternización con los nativos —mezcla de África, Asia y Arabia— era completa. Tan fue así que no hubo de pasar mucho tiempo para que Misson, dando el ejemplo, contrajera matrimonio con una jovencita hermana de la reina de Johanna. Carracioli echó las bendiciones acompañándolas de unos latinajos. Después, el ex fraile se unió a otra indígena emparentada con la casa real. Otros tripulantes se emparejaron en jubilosa ceremonia, seguida de banquete, danzas y festejos. Todo iba como en el mejor de los mundos y las agresiones, asaltos y robos perpetrados para llegar hasta allí se empezaban a sepultar en el olvido. Pero los inescrutables designios de la Providencia Divina habían conducido a aquellos hombres, sedientos de paz y libertad, a un auténtico avispero. Entre las gentes de

Johanna y las de la vecina isla de Mohilla existía una añeja y enconada rivalidad. Y no habían transcurrido muchas lunas cuando, sin causa aparente, los hombres de Mohilla, en yolas y piraguas, invadieron Johanna con ánimo devastador. Misson y sus hombres acudieron en socorro de los atacados y con sus trabucos y pistolones dieron buena cuenta de quienes esgrimían dardos y jabalinas. Rechazado el asalto, Misson quiso buscar la concordia y, a este fin, impidió una sarracina de prisioneros mohilianos, práctica habitual en las discordias entre las dos islas. Y en prueba de buena voluntad los devolvió a su procedencia junto a un emisario portador de un mensaje para el rey de Mohilla. Éste, escocido por la derrota, se mofó de tan nobles propósitos y, por si esto fuera poco, dio muerte al mensajero.

La insolencia pedía a gritos un buen escarmiento y Misson y Carracioli, con un centenar de hombres armados y el apoyo de todos los varones de Johanna, desembarcaron en la vecina pero inamistosa isla. Como es obvio fueron recibidos con una lluvia de flechas. La respuesta fue fulminante, a base de un fuego graneado en el que los cañones del *Victoire* llevaban la voz cantante, sembrando la muerte por doquier. A la vista de la matanza, el rey pidió una tregua e invitó a Misson y a sus hombres a un ágape a la sombra de un tamarindo. Entre bocado y bocado del cebú asado que era el plato fuerte y entre invocaciones a la paz entre vecinos, tan elevados propósitos se vieron interrumpidos por un nuevo ataque de los mohilianos. El agasajo era una emboscada de la que les costó Dios y ayuda el salir con bien. De los disparos a quemarropa se pasó a la refriega cuerpo a cuerpo. A Carracioli le malhirieron en una pierna de un lanzazo y hubiera finiquitado allí de no ser por Misson que voló la tapa de los sesos del indígena que se disponía a rematarlo. Finalmente hubo que batirse en retirada y gracias a una oportuna andanada del *Victoire* se pudo reembarcar dejando una veintena de muertos europeos sobre la maleza. En esto quedó su sueño libertario.

La experiencia había sido muy cruel. Misson, de vuelta a Johanna, reunió un consejo. Y fue parecer compartido el abandonar aquel paraje donde la guerra parecía ser endémica; y era reflexión general el empeño de la condición humana en llevar sus querellas y sus deseos de matar hasta en los lugares donde la Naturaleza brinda los mayores deseos de vivir.

Las naves se aparejaron, embarcándose hasta las nativas tomadas por esposas, firmes en no dejar a sus maridos. Y la expedición zarpó, pese a las súplicas de los indígenas a quienes se dejó armas de fuego y munición para hacer frente al futuro e inevitable ataque del vecino. Los nuevos argonautas bordearon la costa de Zanzíbar, la de Mozambique para, finalmente, dirigirse a Madagascar. En esta isla, al norte de Diego Soares, descubrieron unas playas llanas, deshabitadas, sombreadas por las palmeras de rafia y aromadas por los aires procedentes de las plantaciones de vainilla. El clima, bajo la influencia de los alisios, era suave. El hallazgo de una bahía entre escarpaduras precipitó la decisión. La bahía se convirtió en fondeadero.

Al hollar aquella tierra desierta, virgen y sin señal alguna de presencia humana, Misson alzó su voz para recordar a aquellos de los suyos que quedaron por el camino; y tuvo palabras, también, para aquellos adversarios a quienes los azares de la lucha habían obligado a darles muerte aunque fuera sin saña alguna. Y tras este emotivo recuerdo pidió la ayuda de la Providencia al bautizar a aquellas tierras como las de la libertad. Grandes aclamaciones acompañaron al parlamento del capitán que, con fe de iluminado, había guiado su rebaño hasta allí. El país se bautizó como Libertalia y sus pobladores se llamarían «liberis», aboliendo todo rastro de mezquino nacionalismo y borrando el origen inglés, francés, holandés o portugués de su nacimiento. El propósito era crear una nueva lengua a base de vocablos de los cuatro idiomas dominantes. El dinero se guardó en un fondo común y sólo se utilizaba como vehículo transaccional. La tierra era de todos, como el aire, como el agua. El más sencillo primitivismo encauzaría a unos hacia la pesca, a otros a la caza sin olvidar el cultivo del arroz, del maíz o de la tapioca. Las cabañas, todas iguales, se ordenaron en torno a un cobertizo que sería sede de la asamblea destinada a regular las actividades y armonizar la libertad de todos, sin merma de la de cada uno. Y como podían ser muchos los riesgos de incursiones piratas o de ataques por el interior, a fin de salvaguardar aquel comunismo primario, se desmontaron las piezas del *Victoire* y construyeron unas casamatas donde emplazar aquellos armatostes. Y en la primera reunión de la asamblea, Misson fue elegido gobernador por un plazo de tres años. Carracioli fue designado secretario de Estado. Y con este simple esquema convivencial, la nueva república se dispuso a dar sus primeros pasos bajo el lema de Libertad, Igualdad y Fraternidad.

De esta comunidad tan original, aislada e incomunicada, tal vez se hubiera perdido todo rastro dando pábulo a las más aventuradas hipótesis, de no haber sido por el capitán Tew, un notorio pirata que, con autorización del gobernador de las Bermudas, navegaba por el Índico actuando de «pirata contra piratas», igual que el desventurado capitán Kidd. Gracias a Tew se pudo tener noticia completa del trágico fin de la utopía missoniana.

Establecida la colonia, Misson al mando de la

Liberty, una balandra aparejada con elementos del *Victoire*, hizo algunas expediciones, urgido por la necesidad de aprovisionarse de pertrechos útiles para la existencia de sus iguales de Libertalia. En una de estas navegaciones se cruzó con Tew. El encuentro fue incruento, se intercambiaron saludos y Misson, imbuido por su afán de proselitismo, condujo a Tew hasta su dominio en el territorio malgache. Allí fue admirablemente recibido y hasta se le ofreció quedarse con el grado de almirante guardacostas a cargo de la defensa, cargo que él rehusó. Los encuentros se repitieron y en el último de ellos, Tew dirigióse a Libertalia convoyado por la *Liberty*. Cuando uno y otro avistaron el fondeadero observaron con horror la ausencia de todo signo de vida. Una vez desembarcados, el cuadro que se ofreció ante su vista fue aterrador. Las chozas, quemadas, los cultivos, arrasados. El suelo estaba sembrado de cadáveres en descomposición. Uno de ellos era el de Carracioli, muchos pertenecían a mujeres, otros, a niños. A juzgar por aquel horripilante panorama la comunidad debió de ser atacada inopinadamente por una tribu salvaje que después de matar y arrasar debió de llevarse prisionera al resto de la comunidad.

Misson, incapaz de superar el terrible golpe, decidió alejarse de allí para siempre. Reembarcó en su balandra y navegando en conserva con la nave de Tew, pusieron rumbo a Nueva Inglaterra. Al acercarse a las latitudes cercanas al cabo de Buena Esperanza, allí donde se juntan las aguas del Atlántico con las del Índico, una terrible tormenta sorprendió a los dos barcos. Puestos a la capa, lucharon durante largas horas contra las olas embravecidas, esforzándose por no perderse de vista. Hasta que en un momento dado dejó de verse la silueta del *Liberty*. Había sido engullido por un tragadero de la mar.

Cuando Tew arribó al puerto de Wilmington hizo un informe sobre el naufragio del *Liberty*. Él dio cuenta del hundimiento de un barco; pero con éste había zozobrado algo más: un sueño.

CAPÍTULO XII

Y EN EL OCASO BRILLÓ LAFITTE, PRIMER PIRATA MODERNO

Avanzado el siglo XVIII, sobreviene un episodio revelador del atractivo que llegó a alcanzar la actividad pirática. El episodio en cuestión nos describe la existencia de dos mujeres entregadas a la barahúnda de los asaltos y saqueos propios de tal menester por lo cual, como es obvio, conquistaron celebridad, aunque las circunstancias que rodearon a su dedicación tuvieron más de relato escabroso que de epopeya filibustera. Ambas féminas adoptaron apariencia hombruna, ocultando su verdadero sexo para sus correrías, lo cual, si puede antojarse extraño, nos obliga, en pro de su credibilidad, a recordar precedentes históricos como el de Catalina Erauso, llamada «la monja alférez», quien gracias a su facilidad para el travestismo trocó sus hábitos de dominica por el uniforme de arcabucero y, con este indumento, logró honores y ascensos en lucha con los indígenas de la Nueva España. Y otro de mayor similitud: el de María *la Bailadora*, embarcada en una galera en seguimiento de su novio y que, en Lepanto, luchó como un hombre y con atuendo de tal.

La historia de estas dos mujeres —Ann Bonny y Mary Read— se narra en el libro de Johnson *His-*

*toria general de los robos y crímenes de los más no-
torios piratas y también de su política, disciplina y
gobierno, desde su origen y establecimiento en la isla
de Providencia en 1717*, obra de tan extenso título
como rica en detalles sobre los piratas que infes-
taron las costas de América en el siglo XVIII. Por ella
entramos en conocimiento de que Ann Bonny era
hija de un abogado de Cork, emigrado a Carolina.
Desde niña reveló un carácter más bien pendencie-
ro ya que, según se narra, estando en la escuela de
párvulos agredió a la maestra asestándole un na-
vajazo con el pretexto de haberle tomado ojeriza.
Ya de mocita confirmó un temperamento de armas
tomar, con una tendencia a mezclarse con los bajos
fondos que la hizo verse involucrada en reyertas
con más frecuencia de lo que aconsejaran las buenas costumbres. Por consiguiente, nada de extraño
tuvo el que, como habitual a las tabernas portuarias, se prendara de un sujeto, marinero de oficio
pero cuya verdadera profesión era la de pirata. Y
resuelta a no separarse de su hombre, decidió
adoptar vestimenta masculina y enrolarse en el
mismo barco que su amado. Como era de contex-
tura algo fornida y de voz abaritonada, su engaño
pasó desapercibido quedando tan sólo pendiente la
acreditación de su valor, cosa que superó con cre-
ces llegado el momento del primer combate. Ann
mostró un arrojo temerario, disposición que con-
firmaría posteriormente en todas las situaciones de
compromiso. El idilio sería de corto alcance pues
en la vida de Ann se cruzaría otro pirata, Jack Rackam, llamado Calico Jack, tipo achulapado y mu-
jeriego que desempeñaba la capitanía de una nave,
famosa por sus depredaciones en las costas americanas. El nuevo amorío, pese a la facha de virago
de Ann y a sus escasos atractivos disfrazada de ra-
quero, tuvo tan prontas consecuencias que Ann
hubo de ser desembarcada apenas su estado de

buena esperanza la hacía inútil para el trasiego de las tareas marineras a las que, por añadidura, había que incluir las forzadas por la piratería. Rackam se quedó sin compañera, pero al hilo del relato volveremos a encontrarlos tras la presentación de Mary Read, la otra mujer pirata de la historia.

Mary Read había nacido en Londres en los últimos años del siglo XVII. Su madre estaba casada con un marino al servicio de la Compañía de las Indias Orientales y el matrimonio tenía un vástago de poca edad. Por las fechas del nacimiento de Mary, teniendo en cuenta las largas ausencias paternas en rutas a Madrás o a Pondichery y regreso, no cupo duda alguna de que Mary era el resultado de un desliz materno. El retorno del marino burlado y el conocimiento de la novedad —que no debió de ser de su agrado— trajo la separación de la pareja y Mary quedó con su medio hermanito y con su madre, asignándose a ésta una pensión para el cuidado del niño. La muerte de éste, víctima de la difteria, aconsejó a la madre, para no perder el subsidio, suplantarlo por la niña a la que por esta causa desde su más tierna edad vistió siempre con ropas de varón. Y como tal creció, y ya de jovencito se empleó en los más varios e indistintos menesteres. De temperamento belicoso y viril, sentó plaza de voluntario y marchó a Flandes a luchar contra los franceses. Las peripecias de su existencia llenarían, por sí solas, todo un volumen, pero para nuestro fin digamos que Mary, tras haber hecho una concesión a su condición femenina casándose con un holandés, al morir éste y quedarse viuda, volvió a vestir ropaje de hombre porque, al parecer, la vida en el siglo XVIII ofrecía más oportunidades al sexo fuerte que al débil, por más que, en su caso, cupieran las más razonables dudas sobre su fragilidad. Mary, escasamente agraciada y habituada de siempre a un comportamiento de marimacho, pasaba fácilmente por lo que no era. Con cédula de caballero y llevada por su espíritu de aventura, se embarca en una fragata holandesa con rumbo a las Indias Occidentales. Pero quiso el destino que a la altura de las Bermudas la nave fuera asaltada, saqueada e incendiada por el pirata inglés Vane, que con Tew, Bellamy y Howard gozaban de la tolerancia del gobernador de las Bermudas para llevar a cabo sus latrocinios. En la inevitable oferta de enganche, Mary fue de quienes con más entusiasmo aceptó unirse a los piratas. A fin de cuentas, era inglesa como Vane, y la nueva vida brindaba más alicientes a una personalidad combativa como la suya. Pero los alicientes iban a ser de escasa duración. Al poco tiempo, el capitán Vane, fatigado del trajín de aquella vida, siempre con la amenaza de la soga, decidió acogerse a la amnistía promulgada por el Gobierno inglés en 1717 y retirarse de los azares de la piratería. Su tripulación fue licenciada y muchos, entre ellos Mary Read, accedieron —tras prometer no reincidir en prácticas delictivas— a formar parte de la dotación de un buque corsario destinado a la caza de piratas renuentes a la amnistía.

El *Griffin* —así era llamado el barco cazapiratas— se hizo a la mar y no tardó mucho en suceder lo que era previsible: que los ex convictos se amotinaran y volviendo a las andadas se hicieran los amos del barco, arriando el pabellón inglés e izando el trapo negro acreditativo de su reinserción en la piratería. En el origen y en el propio motín, viose a Mary entre los elementos más agresivos y bravucones. Quiso la casualidad que entre los reclutados como arrepentidos se encontrara Rackam quien, por su experiencia y dotes de mando, fue reconocido como nuevo capitán por los insubordinados. Sus atractivos debían de ser muchos porque Mary, a las primeras de cambio, confesóse a él revelándole su verdadera condición, lo cual abrevió los trámites para que, en el mayor secreto, se convirtiera en la querida del capitán sin abandonar, por eso, su indumentaria viril en las horas de servicio.

De asalto en asalto, las gentes del *Griffin*, que no había cambiado su denominación para mejor engañar a sus presas, seguían su merodeo por las costas americanas hasta que en una recalada en Carolina embarcó un marinero que, según todos los indicios, era ya conocido de Rackam. El recién llegado era, en realidad, Ann Bonny a quien la preñez había hecho desembarcar y que, tras alumbrar un robusto niño, estaba decidida a reanudar su concubinato con el pirata, con todo y seguir manteniendo sus apariencias externas de macho.

Cuando Ann entra en situación observa para su desespero que Calico Jack no puede disimular sus miramientos para con otro tripulante, lo cual la decepciona tremendamente al suponer que Rackam ha invertido sus preferencias sexuales. Decidida a aclarar la situación, interpela al marinero y éste acaba por confesar que es una mujer llamada Mary Read. El embrollo queda al descubierto porque Ann se franquea a su vez. La situación es más propia de la pluma de Boccaccio que de la de Defoe. El disimulo es difícil de mantener porque las dos mujeres, devoradas por los celos, se peleaban por los favores de Rackam como dos poseídas, lo que no era óbice para que, en ocasiones, se confabularan contra él. El pirata, que como queda escrito era un individuo fachendoso y muy dueño de sí mismo, manera de serlo de los demás, atendía ora a una, ora a otra de sus amantes que, siempre metidas en su disfraz de hombre, terminaron por aceptar una convivencia a tres, alternativa o simultánea. Ni embozos ni fingimientos pudieron ocultar los hechos a la tripulación que, cuando estuvo al cabo de la calle del contubernio, cayó en la más completa indisciplina y no faltaron los que se dedicaron a acosar a las mujeres, deseosos de romper el triángulo en beneficio propio.

Fácil es colegir que la carrera pirata de Rackam no fue muy lucida. Los dimes y diretes, los brotes de insubordinación y el que el pirata estuviera más ocupado en poner paz entre sus mujeres que en buscar guerra en alta mar, hizo decaer el espíritu de lucha. Las presas se hicieron raras y la fatalidad, en forma de un bajel cazapiratas jamaicano que después de cañonearlos les obligó a la rendición, puso fin al episodio. Pero justo es consignar que en la lucha sostenida con el corsario, tanto Ann como Mary pelearon como dos hembras bravías, excitando a los hombres al combate y apostrofándolos cuando su menguado espíritu de lucha los llevó cobardemente a la capitulación.

En el proceso que se les siguió, ambas descubrieron su verdadera personalidad. El tema dio mucho que hablar por lo insólito. Era la primera vez que dos mujeres eran juzgadas por piratería y el castigo no podía ser más que uno: la horca. Pronunciada la sentencia, Ann confirmó un temple que para sí quisieran muchos hombres y aseguró «que más valía morir colgada que torturada por un mal incurable». Mary alegó, a grandes gritos, hallarse en estado interesante. Un médico lo confirmó y ello la salvó de morir como todos sus compañeros, Ann incluida. Ante el patíbulo, Calico Jack no acreditó el dominio de sí mismo que le había dado fama de duro y renombre de matón.

Al acercarnos al último cuarto del siglo xviii, la piratería americana se batía en retirada. A la ya descrita acción de los gobernadores que daba como resultados el espectáculo de las ejecuciones, se unió la proliferación de barcos cazapiratas en busca de una recompensa que se divulgaba en las paredes de las tabernas mediante anuncios en los que se ponía buen precio a unas cabezas conocidas por su contumacia. El oficio de cazador de piratas tentó a muchos forbantes contritos que como astilla de la misma madera conocían a la perfección el modo de combatir a sus antiguos compinches.

Un acontecimiento de gran trascendencia histórica iba a afectar decisivamente las actividades piratas en América y el área del Caribe. Efectivamente, en los primeros días de diciembre de 1773 llegaron al puerto de Boston tres veleros ingleses, el *Dartmouth*, el *Eleanor* y el *Beaver*. Tras abarloar en Griffin Wharf, descargaron sus mercancías y esperaron el certificado de pago del Impuesto del Té, infusión que la metrópoli había gravado onerosamente, tras atribuir el monopolio a la Compañía de las Indias Orientales. Una asamblea masiva de bostonianos se manifestó estentóreamente contra el impuesto, lo que provocó una represalia de la Corona británica, tan inoportuna como injusta. Se amenazó con cerrar el puerto de Boston y se dictaron cinco nuevas leyes impositivas contra Massachusetts. Aquello encendió la mecha de lo que se convertiría en el gran movimiento secesionista que daría lugar al nacimiento de los Estados Unidos.

El movimiento hacia la independencia conmueve el tablero político internacional. Inglaterra se encuentra en guerra contra sus antiguas colonias, los trece estados que originaron la Unión, y también contra Francia y contra Holanda. El bloqueo inglés se hizo intenso sobre los puertos americanos del Atlántico, afectando de manera muy directa a los de Carolina, Georgia y Virginia. Y sobre una mercancía muy concreta: los esclavos negros que eran indispensables para los cultivos de tabaco, arroz y añil, base de una economía fundamentalmente agraria.

Es en este marco, con la guerra de la Independencia al fondo, cuando aparece una figura de la piratería destinada a la leyenda. Se llama Jean Lafitte y con él se rompe el cliché del pirata embarcado con traza de bandolero de alta mar, ducho en artes marciales y conocimientos marítimos. Lafitte es de ascendencia francesa y ha crecido en Nueva Orleans. Las primeras noticias lo presentan como un caballero apuesto y galante que alterna con los grandes plantadores de Luisiana. Y alterna ante el tapete verde, entre tahúres del Mississippi, en los saraos y en la ópera. Nadie sabe exactamente de dónde proviene la riqueza de Lafitte al que se atribuyen los más oscuros contubernios en relación con el contrabando y la trata. Pero la Nueva Orleans de Lafitte, tras la huella española y la francesa, no ha creado una sociedad intolerante y puritana: antes al contrario. Mulatas y cuarteronas lucen su turbadora lámina por el Vieux Carré en un ambiente en el que lo criollo ha adquirido carta de naturaleza y personalidad propia en la dulzura del vivir, en el refinamiento de una cocina hecha de mariscos sazonados con especias y que tiene su prólogo en los combinados de ojén y su epílogo en el café *brûlot*. Las villas de los grandes propietarios empiezan a alzarse a orillas del lago de Pontchartrain, en la cercanía de unos descampados donde no es extraño oír al alba el eco de unos pistoletazos o el tintinear de unos aceros. Los lances de honor, generalmente por los favores de alguna veleidosa dama blanca o tostada, están a la orden del día. El delta del Mississippi es un fluir de barcazas cargadas de mercancías, a las que hay que dar salida burlando el bloqueo. El mismo bloqueo impide que otras mercancías de México, Cuba o Jamaica lleguen a su destino. Todo está pendiente de alguien resuelto a romper el dogal que impone la guerra. Y aquí es cuando Lafitte, sin bandera negra ni código pirático alguno, entra en escena. Con un par de goletas sale a la aventura en busca de las mercaderías más cotizadas. Y cuando las encuentra en mar abierto, las toma por asalto, si no hay otro remedio, sin reparar en la bandera que flamee. A los ingleses los desconcierta enarbolando el pabellón de Cartagena de Indias o el de Maracaibo, porque el grito de independencia ha empezado a sonar en la América hispana. Si hay que disparar, se dispara, pues Lafitte no es hombre que se arredre y siempre lleva a su lado algún ex corsario o ex pirata, perito en zafarranchos de combate. Los barcos del caballero-pirata entran en el estuario del gran río abarrotados de ron, melaza, azúcar, especias... A fin de cuentas, aunque se esté en guerra, la vida y el comercio deben seguir su curso y una población refinada y exigente no debe privarse de aquello a lo que está habituada. Naturalmente que el gran negocio lo hace Lafitte, ante la complacencia de las autoridades. Pero llega un momento que la conducta de nuestro hombre, siempre ostentosa y despilfarradora, despierta celos entre los complacientes. La situación se le torna incómoda aunque Lafitte es un maestro en el disimulo pues, en ocasiones, mientras sus barcos operan, él pasea a caballo por la calle Bourbon o aparece en los casinos a fin de desvincularse de lo que se le atribuye. No obstante, se percata de que es preciso dar un nuevo sesgo a sus empresas piratas. Como se ha mencionado con anterioridad, lo que más padece por causa del estado de guerra y el bloqueo inglés es la llegada de gente de color. Los hacendados hacen oír sus quejas por la falta de brazos y están dispuestos a pagar por los negros su peso en oro. Lafitte decide dedicar sus naves a la captura de barcos negreros, sabedor de encontrar todas las complicidades en el influyente gremio de los grandes propietarios. Los barcos de Lafitte se sitúan al acecho de las naves que se acercan a los puertos de

Cuba, Puerto Rico o Santo Domingo; a Santiago, San Juan o San Felipe de Puerto Plata. A las naves que detiene les hace una visita. Si transportan carga general de mercaderías para ultramar, se selecciona el hurto, generalmente brandy, brocados o vinos añejos, y se les permite seguir su ruta. Si transportan africanos y africanas, se requisa el cargamento y se pone proa al golfo de México. Allí, franqueando la Grand Isle, en un recoveco del delta, hay una isla llamada Barataria donde el traficante ha establecido su depósito, su almacén de carne humana. Los negros son desembarcados con nocturnidad. Los propietarios de tierras están en el secreto y van a abastecerse a la isla. El negocio es próspero a todo serlo. Los negros son subidos a una báscula y vendidos a tanto la libra.

El tráfico da altos dividendos y Lafitte es ya escandalosamente rico. Por más que evite el exhibicionismo, hace apariciones de incógnito por Nueva Orleans y se le ve en los cafés de la calle Royal o en los lupanares de lujo de Basin. La identificación es fácil porque en las timbas no hay jugador más osado, para el ponche no hay bebedor más entero. En lides amorosas, la suerte no le es esquiva y blancas y mestizas se privan por sus favores. Viste impecablemente casaca o levitón azul marino con galones dorados, puñetas de lino y chorrera de encaje de Malinas. Si barrunta algún riesgo, nunca falta alguien que lo pone de sobreaviso y le da tiempo a esfumarse y evitar contratiempos. La malevolencia, fruto de la envidia, gira en torno a él y malas lenguas han rumoreado que está en secreta connivencia con los ingleses y hasta que es un agente secreto de ellos. Como el personaje ha hecho siempre alarde de su cinismo, el gobernador, que no es ningún sandio, da orden de busca y captura. Y manda que se fije un anuncio en lugares bien visibles en el que se pone precio a la cabeza de Lafitte: cinco mil dólares. Éste responde al reto haciendo un magistral alarde de jactancia: hace colocar en paralelo otro anuncio en el que ofrece el mismo precio por la cabeza del gobernador.

La situación, enmarcada en la guerra de emancipación, juega en favor de Lafitte. En 1803, la Luisiana ha sido comprada a la Francia bonapartista, lo que le permitirá convertirse en el decimoctavo estado de la Unión. Los ingleses, percatados de quién es Lafitte y de lo que mueve, le hacen ofertas tentadoras para su bando. Él las escucha atentamente y pide tiempo. Los independentistas americanos también quieren atraerlo a su lado. Lafitte, astuto como un zorro y con la vista de un gavilán, se deja querer, dispuesto a sacar el mayor beneficio de un río revuelto en el que pretende ser el mejor pescador. Y así se llega a 1812.

Este año el vaivén de la guerra se acerca a Nueva Orleans. Una columna inglesa mandada por el general Packenham amenaza la ciudad. En aquel momento, Lafitte tiene una flota propia y maneja a mucha gente dispuesta a obedecerle. La defensa de la ciudad, que está a cargo del general Jackson, se apoya en las milicias locales y en los *kaintockes*, hombres del Norte muy fogueados pero escasos. Ha llegado el momento de tomar partido. A iniciativa del general Jackson, Lafitte acude a entrevistarse con él secretamente en la Absinthe House. El general le pide su concurso. Lafitte, accede y el refuerzo de sus hombres es decisivo. Los ingleses son derrotados y Nueva Orleans celebra, en 1815, el levantamiento del cerco y la victoria, gracias a la ayuda del pirata.

Cuando llega la paz, Lafitte está pronto a pasar factura. Sus planes son ambiciosos e incluyen el extender sus actividades por el golfo de México. En Galveston, en la vecina Texas, crea otro punto de venta de esclavos, soslayando las primeras corrientes antiesclavistas traídas por los hombres del Norte. La presencia masiva de aquellas gentes de color ha propagado por el Sur de la naciente Unión la generalización de las prácticas de brujería africana, el Vudú, extraños sortilegios que se acompañan por cantos melancólicos y manifestaciones de la más asustada alegría. Al margen del problema moral, de la pervivencia de un comercio infame en el siglo de la libertad, son muchos los que ven con prevención la crecida de una población negra renovada y acrecentada. En 1807 aparecieron las primeras medidas contra la esclavitud. Lafitte, fiado en su hoja de servicios de hombre que ha prestado una inestimable ayuda a la causa de los Estados Unidos, sigue impunemente traficando, entrando clandestinamente mano de obra de África que no se molesta en cazar en sus poblados de origen. Le es más cómodo —y más barato— quitárselos al negrero que abastece las islas del Caribe.

Cuando los ecos de la guerra empiezan a alejarse, las autoridades comprenden que es preciso cortar las actividades delictivas del hombre que tiene a gala la burla de la ley. Y se decide una expedición punitiva contra el cuartel general del pirata, contra Barataria, la isla de resonancias cervantinas. Pero Lafitte ha sido advertido por uno de sus múltiples espías. Cuando la fuerza del gobernador desembarca en la isla, los negros han desaparecido, los almacenes están ardiendo. De Lafitte se perdió todo rastro.

Alguien dijo que había marchado al Norte a emprender una nueva vida. Los más, se mostraron incrédulos. Lafitte era inconcebible sin su circunstancia, la Nueva Orleans de finales del siglo XVIII, la ciudad amable, señorial y tolerante en la que un aventurero como Lafitte pudo ensanchar los horizontes de la piratería.

Al discurrir del mundo por el siglo XIX, la piratería americana empieza a aparecer como un vestigio del pasado. Su gran momento se produjo cuando las naciones adoptaron métodos piráticos para el logro de sus objetivos de hostigamiento y acoso hacia sus rivales. Desaparecido el corso y la filibuste, quedó un rastro de piratería pura que duró más de dos siglos porque no es fácil convencer a los hombres de que ciertas acciones dañinas, glorificadas en tiempos de guerra, han de ser castigadas en tiempos de paz. El siglo xix contempla la consolidación de los estados, el incremento de sus medios defensivos y una represión más enérgica de la piratería, abandonando definitivamente tolerancias con daños a terceros. Pero, además, aparece un factor decisivo capaz de llevar a la bancarrota a los piratas. Este factor es el progreso tecnológico, la revolución industrial que va a permitir a la Humanidad dar un paso de gigante en su evolución. Y entre lo que experimenta un avance colosal está la navegación, el paso de la vela al vapor. En 1802 nace en plan experimental el primer barco accionado por la fuerza del vapor a presión, el *Charlotte Dundas*. En 1807, Fulton monta la primera caldera en un ingenio navegable. Son todavía probaturas que prefiguran un futuro en el que la navegación experimentará la mayor revolución desde que el hombre se aventuró a surcar los mares. En 1819 se bota el *Savannah*, primer navío mixto de vela y vapor que atravesará el océano Atlántico.

Ante este avance y ante el costo que adquiría la construcción naval con los nuevos barcos propulsados por una máquina de vapor, la piratería había perdido la partida. Ni el más veloz *clipper* ni el más raudo bergantín, supeditados al capricho de los vientos, permitían el riesgo de la piratería si los gobiernos ponían en su seguimiento unos buques accionados por unos canjilones de rodar inflexible, cuyo impulso salía de unas calderas en las que se encerraba toda la fuerza del vapor de agua. Y poco a poco la airosa silueta de los veleros se fue alternando con la de unos barcos identificables desde la lejanía por el penacho de humo que desprendía su chimenea. Cuando de la vela se pasó definitivamente al vapor, este vocablo entró como sinónimo de barco.

Esto hizo que cuando, en 1835, los periódicos de Boston anunciaron la celebración de un proceso contra unos individuos acusados de piratería, la noticia tuviera tintes anacrónicos, como si el tiempo hubiera retrocedido un siglo, cuando el populacho disfrutaba al anuncio del espectáculo gratuito de las ejecuciones. Lo cierto es que la noticia hablaba de un capitán pirata llamado Pedro Gibert, casualmente de nacionalidad española, quien al mando de la goleta *Panda* había perpetrado diversos actos de bandidaje entre ellos el asalto al bergantín *Mexican*, en el que se apoderaron de numerosos talegos llenos de monedas así como de mercancías de gran valor. No contentos con esto y con el propósito de hacer desaparecer el rastro de su maldad, llevaron a cabo en el *Mexican* destrozos tales como inutilizar velas, aserrar palos, cortar obenques y diversos cabos de cordaje. Tras de estos estragos, la arribada del bergantín a palo seco al puerto de Salem pudo reputarse como un auténtico milagro. Una vez a salvo, el capitán Butman, del *Mexican*, pudo proporcionar datos precisos de la identidad del *Panda*, a fin de dar con Gibert y hacerle pagar el daño que había ocasionado.

Fue un cúter británico —el *Curlew*— el que consiguió reducir al *Panda* con toda su gente y entregarlo a los americanos, a los dos años del atraco al *Mexican*.

Doce fueron los piratas llevados a juicio. Eran españoles de Cuba y sus nombres Gibert, Soto, Ruiz, Bohiga, Hernández... no desmentían su origen. Habían zarpado de La Habana para su última y desafortunada expedición y Gibert, como cabecilla del grupo, confesó que su tardía dedicación a la piratería debíase a la necesidad de hacerse rico y así conseguir los favores de una dama muy sensible al brillo de los pesos y pronta a hacerle el reproche de su pobreza. Siete de los procesados fueron condenados a muerte. Uno de ellos —Soto— fue indultado por el presidente Jackson, a ruegos de la mujer del condenado que viajó desde Cuba en un desesperado intento por salvarlo. El indulto no pudo ser más justo. Soto, antes de entrar en el mal camino, había sido protagonista de una benemérita acción, cual fue el salvamento de setenta náufragos del barco *Minerva* encallado en las Bahamas. Soto, que navegaba de maestre en la embarcación salvadora, dirigió personalmente las labores de rescate.

Un periódico de Boston, narró de este modo el fin de la aventura:

«Cinco de los piratas fueron ejecutados esta mañana a las diez y media. Un cura español los acompañó hasta el lugar donde se levantó el patíbulo, pero ninguno de ellos quiso confesarse o hacer acto de contrición. Todos alegaron su inocencia hasta el último momento. Anoche se supo que el capitán Gibert había tratado de suicidarse con un pedazo de cristal. Otro de los piratas, llamado Bohiga, se dio un tajo en el cuello con un trozo de lata, que le produjo la consiguiente hemorragia, y se hallaba tan debilitado que fue preciso llevarlo en hombros hasta el patíbulo. Esta conducta observada por los piratas, hace suponer que todos ellos abrigaban la esperanza de un perdón hasta el instante mismo de la ejecución.»

Con este episodio se puso fin a una práctica del delito marítimo asociada al descubrimiento y co-

lonización de un nuevo continente. Las oportunidades que brindaba un tráfico abundante en riquezas, hechas de tesoros y de exóticas mercancías ultramarinas, así como la tentación consistente en la
existencia de unas plazas mal defendidas y peor
guarnecidas, propiciaron las acciones de corsarios,
bucaneros, piratas y filibusteros.

Fue una historia enmarcada, en gran parte, en
una rivalidad internacional entre las naciones europeas por la conquista de unas posesiones y por
el dominio de los mares. El fenómeno de la piratería y sus variantes ha llegado hasta nosotros asociado a unos nombres como Drake, Raleigh, Nau,
Morgan, De Pointis o Lafitte, en cuyas acciones
hubo más iniquidad que nobleza. Una vez más, la
Historia ha retenido en mayor medida el nombre
de los depredadores o de los saqueadores —como
lo hace, asimismo, con los déspotas y los tiranos—
que el de quienes les hicieron frente teniendo la
virtud suprema de haber cumplido con su deber
quedando en el anonimato. Por esta constante histórica, esta rememoración de la piratería en el
Nuevo Mundo ha tenido que articularse a través de
los desafueros cometidos por unos hombres despre-
ciativos con el derecho de gentes y que tomaron el
mar abierto como espacio para el despojo y el homicidio. En realidad, la historia de la piratería
americana no es una excepción, en su tratamiento,
a la historia de cualquier vertiente de los conflictos
entre las naciones y entre los hombres.

Por todo ello, al doblar la última página de esta
evocación, al hacer balance de un hecho delictivo
que tuvo trascendencia histórica, sería injusto no
dedicar un recuerdo a los combatientes anónimos,
a los marinos, arcabuceros, mosqueteros o artilleros que en las naves, en las villas o en la sabana,
murieron defendiendo unos dominios en la América hispana, dominios que, pese a las arterías y be-

llaquerías de los piratas, se conservaron en casi su total integridad. Fueron los Alonsos, Guzmanes, Ximénez o Rodríguez quienes preservando unos territorios lograron que conservaran una personalidad, unida a un legado cultural y a un idioma.

Pero la pura piratería no acabó en Gibert. En el siglo XIX y buena parte del XX buscó nuevos escenarios en las costas de Arabia, en las de Malasia, en los mares de la China o en los de Indonesia. Del Nuevo Mundo experimentó un retorno a orillas de civilizaciones antiquísimas en una vuelta a sus orígenes demostrativa de que el paso de los siglos descubre que no hay nada nuevo bajo el sol.

Y con Lafitte nace otro tipo de piratería, sin etiqueta negra ni pañolón en la cabeza. Lafitte es el primero en usar métodos piráticos envuelto en una ambigüedad que no le hace perder consideración social ni incurrir en reserva del derecho de admisión en los mejores cenáculos. Y con quien hay que contar en los momentos de salvación pública. Sus prácticas en el mundo moderno han tenido múltiples y brillantes seguidores en el campo del comercio, de las finanzas o de la industria. En el Nuevo y en el Viejo Mundo. Pero esto ya es otra historia.

FUENTES BIBLIOGRÁFICAS

Para la introducción en el tema, es decir, para situar al lector en el área geográfica y en el marco colonial donde se inicia el fenómeno de la piratería antillana, he recurrido al *Cuadro histórico de las Indias*, de Salvador de Madariaga y muy especialmente a las crónicas de Fernández de Oviedo y Bernal Díaz del Castillo. Para reflejar el impacto del Descubrimiento me ha sido de inapreciable utilidad *La novedad indiana* del profesor Ballesteros Gaibrois. Y en un plano más ideológico-político me ha sido provechosa como obra de consulta *El Viejo Mundo y el Nuevo* de J. H. Elliott. Para una visión global de la época, he recurrido a los volúmenes 6 y 7 de la *Historia de España* editada por Historia 16.

Para una panorámica general del acontecer caribeño he utilizado la *Biografía del Caribe*, de Germán Arciniegas, aunque su amenidad y brillantez no la exime de evidentes errores de apreciación.

En el específico tema del libro, es inapreciable el valor testimonial de la obra de Alexander Exquemeling *Piratas de América* así como la de Johnson *Historia general de los robos y crímenes de los más notorios piratas y también de su política, disciplina y gobierno desde su establecimiento en la isla de Providencia*. En menor escala, también han sido útiles *Historias de piratas* de Daniel Defoe, *Piratas, filibusteros, corsarios y bucaneros* de E. Silberstein y *Los piratas del Oeste, los piratas de Oriente* de Philip Gosse.

En cuanto a las obras biográficas, oscilantes entre historia y leyenda y objeto de dispares interpretaciones, el autor ha recurrido a las biografías disponibles de los más notorios protagonistas, aunque no todas tienen la calidad y fiabilidad de *Elizabeth y Essex* de Lyton Strachey. Las consultadas han sido: *Raleigh* de Irven Anthony, *El Olonés, hermano de la Costa* de Le Marquand, *Morgan* de E. A. Cruishank y *Drake* de A. E. W. Mason.

Para los aspectos marítimos del tema, me han sido de valiosa ayuda *Los buques y el mar* de Duncan Haws y también *La Armada Invencible* de David Howarth.

Índice onomástico

Alejandro Magno: 164.
Alejandro VI: 11, 12, 40.
Almagro, Diego de: 11.
Alonso, los: 193.
Anacaona, reina: 15.
Anglería, Pedro Mártir de: 9.
Ango, Jean d': 29.
Anthony, Irven: 195.
Arciniegas, Germán: 17, 58, 194.
Arias Dávila, Pedro: 11.
Avery *llamado* Long Ben: 148, 149, 150, 151.

Bacon, Francis: 53.
Ballantine: 130.
Ballesteros Gaibrois: 194.
Barbanegra, Edward Teach, *llamado*: 89, 93, 94, 141, 142, 143, 144, 145.
Barbarroja, hermanos: 26.
Bartolomé, *llamado* el Patapalo: 171.
Bartolomé *el Portugués*: 72.
Bellamy: 180.
Bellomont, conde de: 138, 139, 140.
Berrio, gobernador: 56.
Blackburne, Lancelot: 117, 118.
Boccaccio, Giovanni: 181.
Bohiga: 190, 191.
Bonnet, Stede: 141, 142, 143, 147.
Bonny, Ann: 177, 178, 181, 182.
Borbón, los: 127.
Borgia, Lucrecia: 40.
Borgia, Rodrigo: *véase* Alejandro VI.
Borondón, san: 167.
Bridgeman, mister: *véase* Avery.
Burleigh, lord: 27.
Butler, capitán: 166.
Butman, capitán: 190.

Cabot, Juan: 22.
Cabot, Sebastián: 22.
Carlos I de España y V de Alemania: 20, 21, 30.

Carlos I de Inglaterra: 98.
Carlos II de Inglaterra: 99, 106, 111.
Carracioli, Giovanni: 161, 162, 163, 164, 165, 167, 170, 171, 172, 174, 175.
Cartier, Jacques: 22.
Cartouche, Louis Dominique: 83.
Cecil, William: 36.
Cervantes Saavedra, Miguel de: 26, 64.
Clark, Robert: 114.
Clemente XI: 160.
Colón, Cristóbal: 10, 16.
Cook, John: 119.
Cortés, Hernán: 11, 29.
Cosa, Juan de la: 15.
Cox: 125.
Cromwell, Oliverio: 99, 100, 133.
Cruishank, E. A.: 195.

Chaucer, Geoffrey: 53.

Dampier, William: 69, 115.
Daniel, capitán: 89.
Darío I: 165.
Darnley, Henry Stuart o Stewart, barón: 59.
Davis, Howel: 136, 147, 152.
Defoe, Daniel: 116, 143, 181, 194.
Dennis: 153.
Descartes, René: 64.
Devereux, Robert: 55, 57, 58, 63.
Díaz de Solís, Juan: 15.
Díaz del Castillo, Bernal: 12, 194.
Doughby, Thomas: 43, 44.
Drake, Francis: 34, 35, 37, 39, 40, 41, 42, 43, 44, 45, 46, 47, 48, 49, 50, 51, 52, 54, 55, 57, 58, 62, 96, 106, 119, 192.
Ducasse: 126, 127.

Eden, gobernador: 142, 143, 144.
Eduardo VI de Inglaterra: 164.
Elcano, Juan Sebastián: 24.

Elliott, J. H.: 21, 194.
Enrique IV de Francia: 65.
Enrique IV de Inglaterra: 164.
Enrique VII de Inglaterra: 22.
Enrique VIII de Inglaterra: 26, 27.
Erauso, Catalina: 177.
Essex, conde de: *véase* Devereux, Robert.
Estuardo, los: 149.
Exquemelin, Alexander: 73, 74, 75, 81, 104, 107, 194.

Felipe III de España: 61.
Felipe V de España: 127.
Fernández de Oviedo, Gonzalo: 9, 15, 55, 194.
Fleury, Jean: 29, 30, 31.
Florín Juan: *véase* Fleury, Jean.
Foucault, Michel: 66.
Fourbin, capitán: 160, 163, 164.
Francisco I de Francia: 22, 26, 29.
Frobisher, Martin: 44, 49.
Fulton, Robert: 189.

Gage, Thomas: 98.
Gibert, Pedro: 190, 191, 193.
Gibson, capitán: 148, 149.
Gilbert, Humphrey: 54.
Gobham: 27.
Godolphin: 27.
Gondomar, Diego Sarmiento de Acuña, conde de: 62.
Gonzalo: 33.
Gosse, Philip: 93, 108, 117, 133, 164, 195.
Gran Khan: 24.
Guillermo I de Nassau: 53.
Guillermo III de Inglaterra: 138.
Guzmán, los: 193.

Habsburgo, los: 21.
Haro, Juan de: 33.
Hawkins, John: 19, 25, 31, 32, 34, 35, 36, 37, 40, 41, 42, 49, 50, 51, 58.
Hawkins, William: 31, 40.
Haws, Duncan: 137, 195.
Hernández: 190.
Howard, Charles: 49, 147, 180.
Howarth, David: 44, 195.

Isabel I de Inglaterra: 27, 37, 45, 53, 54, 55, 59, 111.

Jackson, Andrew: 187, 191.
Jacobo I de Inglaterra: 31, 59, 61, 62, 98.
Jesucristo: 17.
Jiménez de Quesada, Gonzalo: 16.
Johnson, gobernador: 145, 177, 194.
Jol, Cornelius: 29.
José, *llamado* el Bisojo: 171.
José de Capistrano, san: 160.
Juan, *llamado* el Renco: 171.

Kennedy, Walter: 87.
Keymes, Lawrence: 61, 62.
Kidol, William: 137, 138, 139, 140, 141, 174.
Killigrew, John: 27.

La Place: 77.
Labat, padre: 69.
Lafitte, Jean: 177, 184, 185, 186, 187, 188, 192, 193.
Las Casas, Bartolomé de: 13, 18.
Le Clerc, François, *llamado* Pie de Palo: 29.
Le Grand: 78.
Le Marquand: 77, 195.
Le Vasseur: 71.
Leicester, Robert Dudley, conde de: 53.
López de Gómara, Francisco: 20, 55.
Luis XIII de Francia: 159.
Luis XIV de Francia: 125, 127.

Madariaga, Salvador de: 11, 28, 47, 99, 194.
Magallanes, Fernando de: 24.
Mahoma: 164.
Mansveldt: 101.
María I Estuardo: 59.
María, *llamada* la Bailadora: 177.
Mason, A. E. W.: 195.
Maynard, teniente: 144.
Mazarino, Giulio o Jules: 159.
Mings, almirante: 100.
Misson, Frederick: 89, 148, 159, 160, 161, 162, 163, 164, 165, 166, 167, 168, 169, 170, 171, 172, 173, 174, 175.
Moctezuma: 30.
Modyford, Thomas: 106, 108, 110.
Moisés: 92.
Montaigne, Michel Eyquem de: 64.
Morgan, Henry John: 83, 96, 98, 99, 100, 101, 102, 103, 104, 105,

106, 107, 108, 109, 110, 111, 112, 113, 192.
Mulgrave, John Sheffield, duque de: 134.

Narváez, Pánfilo de: 11.
Nau, Jean David, *llamado* el Olonés: 68, 77, 78, 79, 80, 81, 82, 83, 99, 104, 192.
Nelson, Horatio: 49.
Novás Calvo, Lino: 78, 80.
Núñez de Balboa, Vasco: 11, 16.

Obando: 15.
Ogeron, M.: 80, 99.
Ogle, Chaloner: 157, 158.
Olonés, El: *véase* Nau, Jean David.
O'Neill, Hugh: 58.
Orange, Guillermo, príncipe de: *véase* Guillermo I de Nassau.
Orellana, Francisco de: 56.

Packenham, general: 187.
Palomeque, Diego: 61, 62.
Pané, Román: 9.
Parmentier, Antoine Augustin: 55.
Pedrarias Dávila, Pedro Arias Dávila, *llamado*: 112.
Pedro Francisco: 72.
Pedro, *llamado* el Trasquilado: 171.
Pelegati, Nicoló de: 160, 161.
Penn, William: 100, 133.
Peñalva, conde de: 100.
Phillip, capitán: 92, 147.
Pierre *le Grand*: 72.
Pita, Mayor Fernández de la Cámara y Pita, *llamada* María: 50.
Pizarro, Francisco: 11, 16, 56.
Pocahontas, princesa: 132.
Pointis, de: 125, 126, 127, 192.
Polo, Marco: 24.
Ponce de León, Hernán: 16.

Quelch, capitán: 147.

Rabelais, François: 64.
Rackam, Jack *llamado* Calico Jack: 93, 178, 179, 180, 181, 182.
Raleigh, lady: *véase* Throckmorton, Elizabeth.
Raleigh, Walter: 53, 54, 55, 56, 57, 58, 59, 60, 61, 62, 63, 129, 192.

Raleigh, Walter (hijo): 61, 62.
Ravaillac, François: 65.
Read, Mary: 177, 179, 180, 181, 182.
Richelieu, Armand Jean du Plessis, cardenal de: 159.
Ringrose: 124.
Roberts, Bartholomew: 84, 85, 89, 145, 148, 151, 152, 153, 154, 155, 156, 157.
Rock el Brasileño: 72.
Rodríguez, los: 193.
Rogers, Woode: 116, 146.
Rolfe, John: 132.
Rubalcaba, maese: 122.
Ruiz: 190.
Russel, Clark: 69.

Sawkins: 120.
Selkirk, Alexander: 115, 116, 146.
Serrallonga, Joan Sala I: 83.
Shakespeare, William: 57, 64.
Sharp, Bartholomew: 113, 119, 120, 121, 122, 123, 125.
Sheffield, John: *véase* Mulgrave, duque de.
Silberstein, E.: 195.
Snelgrave, capitán: 93, 147.
Solimán *el Magnífico*: 26.
Solórzano Pereira, Juan de: 18.
Soto: 190, 191.
Spenser, Edmund: 57.
Spotswood, gobernador: 144, 145.
Stevenson, Robert Louis Balfour: 141.
Strachey, Lyton: 195.
Stuyvesant: 130.
Swan, capitán: 94, 147.
Sympson: 153.

Teach, Edward: *véase* Barbanegra, Edward Teach, *llamado*.
Tello, gobernador: 51.
Terrier, Jean: 29.
Tew, capitán: 147, 149, 174, 175, 176, 180.
Throckmorton, Elizabeth: 55, 59, 63.
Tremayne, Edmund: 45.
Truslow Adams, James: 132.
Tudor, los: 43.
Tyrone, conde de: *véase* O'Neill, Hugh.

Vanderbilt: 130.
Vane, capitán: 147.

Vega y Carpio, Félix Lope de: 52, 64.
Venables, general: 100.
Verrazzano, Giovanni: 22.
Vespucio, Américo: 10, 15, 22.

Walpole, Horace: 117.
Waltling, capitán: 122.

Wright: 29.
Wynne, Emanuel: 95.

Ximénez, los: 193.

Yáñez Pinzón, Vicente: 15.